# Sous l'arbre à palabres, mon grand-père disait...

## par Boucar Diouf

LES INTOUCHABLES

# Remerciements

Mes remerciements vont à tous ceux et celles qui m'ont soutenu dans la réalisation de ce projet d'écriture.

Je tiens d'abord à remercier mon gérant et ami Percy Savard, qui bosse avec moi sans relâche depuis mes débuts sur scène. Sa plume, qui a enrichi certains textes de mon spectacle, est aussi poétique que celle d'un griot de Matane.

Je remercie également Caroline, ma blonde, qui sait exactement quand elle doit m'abandonner à ma bulle d'apprenti écrivain et qui, en plus, a mis sa touche dans la coloration des illustrations.

J'adresse également un grand merci à mon ami Louis Bélanger pour avoir cogité les illustrations.

Je souhaite aussi remercier Mario Bélanger, de l'Université du Québec à Rimouski, et mon amie Nadia Corneau, pour les corrections qu'elle a apportées aux textes de ce recueil.

Merci également à tous les membres de ma famille au Sénégal, ainsi qu'à ma belle-famille gaspésienne, dont Michel Roy, Danielle Paradis, Joëlle Roy et Arnaud Léger.

Je suis aussi redevable à tous les gens de Rimouski et de la Gaspésie, dont l'accueil chaleureux a facilité mon acclimatation au *frette* hivernal d'un pays qui, entre-temps, est devenu mien.

# Sommaire

## DE LA SAVANE À LA NEIGE
### Entre choc thermique et choc culturel

## INDEX DES PROVERBES

# BOUCAR LE JEUNE

# Je suis de l'ethnie sérère

Je suis le sixième d'une famille de neuf enfants : six garçons et trois filles. Ma mère s'appelle N'Dew Diouf et mon père, Amath Diouf. Je suis né et j'ai grandi dans la province du Sine, le fief de l'ethnie sérère du Sénégal. Traditionnellement, les Sérères sont des éleveurs de zébus et des cultivateurs d'arachides. J'ai fait des études supérieures, non pas que je me sois senti appelé par la vocation scientifique, mais parce que je voulais m'accorder le maximum de chances d'échapper aux tâches agricoles. Comme on dit au Québec, « cultiver des arachides, c'est travailler pour des *peanuts* ».

À la maison, les animaux (moutons, zébus, ânes, chèvres, poules et chevaux) ont toujours côtoyé les humains. Le veau dans la chambre, l'âne dans la cuisine, les poules sous le lit sont des scènes anodines chez les Diouf. Jusqu'à l'âge de 15 ans, j'étais berger. Pendant la saison des pluies, je parcourais la savane avec les animaux à la recherche de pâturages. Cette vie pastorale durait jusqu'au début des classes, et même après, je reprenais le bâton de berger pendant les jours de congé. Le rapport liant les Sérères à leurs vaches avoisine l'adoration. Le zébu est ce « dieu au museau humide » qu'on ne sacrifie que pour célébrer un mariage ou des funérailles, mais dont la bouse est un fertilisant très prisé. De temps à autre, les hyènes se payaient une incursion nocturne parmi nos bêtes, et le carnage faisait peine à voir le lendemain. Aussi, pour protéger les troupeaux, j'étais parfois obligé de passer la nuit à leurs côtés.

Mes parents n'ont jamais fréquenté l'école, mais mon père avait son truc pour nous intéresser aux études. Il nous faisait trimer si dur dans les champs que la rentrée des classes ressemblait au début des grandes vacances. Quand papa Diouf était content, il nous disait : « Bossez dur à l'école, les enfants, un homme a besoin de se cultiver. » Et quand ça ne faisait pas son affaire, il ne se gênait pas pour nous le faire savoir : « Je n'ai rien contre les études, mais les champs ne sauraient attendre. » Nous repartions, juste sur une *peanut*, nous taper deux heures de travaux champêtres avant le souper. Et même si mon paternel ne savait pas lire, il se plaisait à nous répéter que les illettrés étaient les aveugles des temps modernes et qu'il ne voulait pas voir, de son vivant, son fils ou sa fille souffrir de ce handicap. Une autre façon de nous inciter à étudier consistait à nous sermonner après une journée de dur labeur : « Je ne suis pas apte à évaluer vos progrès, mais si vous échouez, vous retournerez à cette plantation d'enfer. » Cette méthode s'est avérée si efficace qu'aujourd'hui aucun de nous ne cultive l'arachide. Sur les neuf membres que compte ma fratrie, six ont complété leurs études universitaires et trois ont obtenu un diplôme de troisième cycle.

Quoique la plupart des Sérères se réclament de la religion musulmane, leur culture conserve une grande part d'animisme. Mon peuple croit profondément à la sorcellerie et aux esprits de la nature. Il pratique aussi les rituels de chasse, le totémisme, la circoncision et l'initiation des jeunes garçons. De tous les enseignements ayant marqué mon adolescence, le plus important reste le répertoire de chants initiatiques sérères, dont certains remontent à la fondation du pays. Aujourd'hui, je perpétue cette tradition en enseignant certains de ces chants aux écoliers de la région du Bas-du-Fleuve.

# Ma démarche artistique

Dans ma région natale, chaque composante ethnique de la population est assignée à un métier et à un rôle social déterminés. Traditionnellement, ne devient pas artiste de la scène celui qui, simplement, le souhaite. La pratique artistique est réservée aux seuls individus issus de la caste des griots, des forgerons ou des sculpteurs. Enfant, je ressentais déjà le besoin de jouer de la musique, de raconter des histoires et de faire rire. Ce désir était si intense que j'osai m'aventurer dans le monde des castes, ce qui contraria mon père. Je me suis alors consacré à des études qui ont fait la fierté de ma famille. J'ai terminé un doctorat en océanographie avant de me rendre compte que la profession de chercheur ne répondait pas à mes aspirations profondes. Maintenant, la pratique de l'humour, du conte et de la musique satisfait largement mon besoin d'expression, même si j'ai dû choisir la précarité de la vie d'artiste à la sécurité d'une carrière scientifique ou pédagogique.

À l'heure où j'écris ces lignes, mes parents ignorent que j'ai troqué la toge universitaire pour la veste trouée de l'humoriste. Et si mon père m'interroge sur mon travail, je lui réponds simplement que ça se passe réglo à l'UQÀR. Je me suis résigné à lui cacher ma nouvelle vie en m'appuyant sur les dires de mon grand-père :

**Quand vient le temps de parler, le petit mensonge qui unit une famille est préférable à la vérité qui la divise.** Mes parents ont atteint un âge plus que respectable, et je tiens à ménager leur susceptibilité. Au sein de mon peuple, on apprend très tôt que **si l'on chouchoute un vieillard depuis l'aube et que, le soir, on le gronde, son seul souvenir sera peut-être d'avoir été torturé.**

Je ne me suis jamais demandé pourquoi j'ai tant besoin de créer. Sans doute pour nourrir une flamme intérieure qui m'a toujours habité et qui déstabilise parfois mon homéostasie. Je monte sur scène comme le paysan va aux champs : pour semer. Et l'humour m'apparaît un terreau fertile. Il s'agit du médium idéal pour faire tomber les masques, bousculer les représentations que les hommes s'attribuent les uns aux autres et mettre en évidence les frictions entre groupes ethniques.

L'humour peut saper certaines fausses vérités, proposer une autre vision du monde et contribuer à la constitution d'une identité nouvelle. Celle à laquelle j'aspire, en tant que Québécois d'origine ethnique, outrepasse les barrières de la race, de la religion et du territoire. Cette identité repose sur la tolérance et le partage, et mise sur la diversité culturelle comme vecteur de la création.

En tant qu'art populaire, l'humour propose des instantanés – d'aucuns diront des clichés – de l'évolution d'un peuple, en même temps qu'il s'avère un lieu d'élaboration de son imaginaire collectif. Or, la croissance des flux migratoires oblige des groupes ethniques aux croyances et aux modes de vie fortement différents à cohabiter sans qu'au préalable il y ait eu apprivoisement de part et d'autre.

À mon sens, le croisement de genres humoristiques issus de contrées diverses favorise le rapprochement interculturel. Actuellement, un tel processus d'hybridation a cours dans le monde musical. Ma collection de CD, par exemple, compte des albums où se mêlent djembé et cornemuse, cithare et violon, airs classiques et percussions latines. Dans le milieu québécois de l'humour, toutefois, ces produits hybrides constituent une rareté.

Pour tout dire, ma démarche artistique s'inspire de celle des griots. Qu'il s'agisse de susciter l'émotion ou de faire appel au jugement, ces artistes de père en fils transgressent volontiers les frontières qui séparent humour, conte et musique. Tel un héritage génétique, ce mélange des genres est inscrit au plus profond de mes cellules.

La biologie nous apprend que le métissage engendre des êtres hybrides souvent plus résistants que leurs géniteurs de race «pure». Cette notion a influé sur ma pratique artistique, de sorte que je présente des récits issus de la tradition africaine avec des expressions et des tournures de phrase d'ici et que je combine, sans discrimination aucune, monologues et contes, proverbes moraux et chansons joyeuses.

La ville de Rimouski est située sur la rive sud de l'estuaire maritime du Saint-Laurent, là où les eaux saumâtres de l'estuaire moyen se joignent à celles, davantage salées, du golfe. Tout scientifique de la mer sait que la richesse et la productivité des milieux estuariens dépendent de ce mélange. En tant qu'océanographe et artiste, c'est ce type de métissage que je tente de promouvoir. Rire de nos différences, c'est les apprivoiser et les dépasser à la fois.

# BOUCAR LE VIEUX

# Sous l'arbre à palabres...

En publiant ce recueil de textes, je n'ai nulle prétention de créer une œuvre littéraire ou un dictionnaire de la sagesse africaine. Je souhaite simplement partager avec ceux qui ont assisté ou assisteront à mon spectacle une partie des proverbes et adages qui ont marqué mon enfance et contribué à mon éducation. Plutôt que de procéder par énumération simple, je les ai insérés dans mes propres histoires de vie, comme le veut la coutume. Je vous invite donc à découvrir un pan de la pensée et de l'imagerie populaires. Le but premier du présent exercice est de faire sourire, et de présenter certains éléments de l'art oral africain qui défient l'usure du temps. La majorité des pensées citées provient des ethnies sérère, wolof, toucouleur, bambara et autres, qui peuplent l'Afrique de l'Ouest. Parfois, leur contenu original a été modifié afin de répondre à des besoins particuliers. J'ai également fait appel à quelques expressions qui ne sont pas d'origine africaine pour donner de la couleur à certains passages.

L'arbre à palabres, c'est souvent le baobab ou le fromager à l'ombre duquel les gens du village tiennent leurs assemblées, durant lesquelles ils discutent des problèmes de la communauté. Sous la protection de ce grand feuillu, chaque villageois peut exercer son droit de parole, à la seule condition d'écouter d'abord les vieillards, en raison de leur expérience. J'ai toujours admiré le talent et l'adresse dont faisaient montre les griots, durant ces célébrations, pour captiver, émouvoir et faire réfléchir leurs semblables. Boucar, mon grand-père, était l'un de ces poètes. À ma naissance, mon père m'a donné son nom. Encore aujourd'hui, il m'appelle Papa, convaincu sans doute que mon aïeul s'est réincarné dans ma chair. Dans ma jeunesse, je tirais avantage de cette situation. Lorsque mon père se préparait à nous tabasser, il me suffisait de lui lancer : « Papa, tu ne frapperais quand même pas ton propre père ! » pour échapper à sa vindicte. Ce stratagème fonctionnait à tout coup. Et lorsque, dans ce livre, je fais allusion à mon grand-père, je parle autant de Boucar le Vieux que de Boucar le Jeune, son petit-fils et votre serviteur. En vérité, j'évoque pareillement tous ceux qui, de près ou de loin, ont alimenté ma passion pour l'art oral.

Le grand-père qui apparaît dans ces pages se veut donc l'archétype de tous les sages hommes qui ont imprégné ma compréhension du monde et marqué ma sensibilité d'humoriste et de conteur. Je pense en premier lieu à N'Dongo, un griot qui servait d'interprète à mon père. Ce dernier ne s'adressait jamais directement aux membres d'une assemblée. Il transmettait ses dires au vieux griot qui ficelait chaque mot de façon à ce que son message sonne comme un poème ou un morceau d'humour aux oreilles de l'assistance. Chaque phrase prononcée par N'Dongo générait quelque émotion.

Le talent incomparable des maîtres de la parole dont papa Diouf savait s'entourer a suscité en moi le désir de raconter des histoires. C'est cette composante de ma culture qui m'a manqué le plus à mon arrivée au Québec. Heureusement, chaque fois que je prenais des vacances au Sénégal, N'Dongo m'accueillait avec ses aphorismes, ses mots d'esprit et ses leçons de poésie. En 1999, j'ai quitté le Bas-Saint-Laurent muni d'une enregistreuse afin de conserver pour la postérité les enseignements du vieux griot. Mais, à mon arrivée à la maison, mon père m'a annoncé qu'il venait de rendre l'âme. La nouvelle de son décès m'a profondément attristé. Disparaissait ainsi un être vénérable entre tous. Qui professait que **le proverbe est l'esprit d'un seul et la sagesse de tous**. Qui était guidé par la certitude que **si la parole se perd, le proverbe nous la fait retrouver**. À mon retour à Rimouski, j'étais résolu à honorer la mémoire de N'Dongo et à perpétuer son art en puisant dans les trésors de son langage. Une décision qui m'a conduit à réciter des contes sur scène.

Et comme le dit Boucar le Jeune : « Pour finir par la fin, il faut commencer par le commencement. »

Bonne lecture !

# Mon grand-père disait...

## La famille

Avant de venir m'établir au Québec, je fis un dernier voyage dans mon village pour saluer ma famille, et plus particulièrement mon grand-père.

Quand j'arrivai à la maison, grand-père me demanda de m'asseoir. Il sortit de sa poche un petit bâton, qu'il me somma de casser. Ce que je fis sans problème. Il me demanda ensuite combien nous étions dans la famille ; je répondis que nous étions neuf. Grand-père sortit aussitôt neuf petits bâtons identiques au premier, les mit ensemble et me proposa de casser d'un coup tout le paquet. Quand il réalisa que je n'arrivais pas à le briser, il me regarda droit dans les yeux et me dit : « Boucar, où que tu sois, rappelle-toi une chose : c'est ça, une famille ! »

Aujourd'hui, après plusieurs années passées dans le Bas-du-Fleuve, je peux vous assurer que c'est ce que le Québec représente pour moi : une famille.

## En Afrique, un vieillard qui meurt, c'est comme une bibliothèque qui s'enflamme

D'une extrême justesse, la phrase ci-dessus provient d'un traditionaliste malien du nom de Amadou Ampathé Bâ. Elle souligne le rôle primordial joué par les gens âgés dans la transmission du savoir. Ce même auteur a donné au conte la définition suivante : histoire d'hier racontée par les hommes d'aujourd'hui pour les générations de demain.

Pour sa part, Léopold Sédar Senghor, le grand poète et chef d'État sénégalais, affirmait : « Si les civilisations meurent comme les hommes, le présent ne devrait-il pas sortir du passé et l'avenir du présent ? Pour éduquer, contes et fables doivent charmer, par-delà les oreilles, le cœur et l'esprit. En Afrique noire, toute fable, voire tout conte, est l'expression imagée d'une vérité morale, à la fois connaissance du monde et leçon de vie sociale… »

Outre leur rôle éducatif, mon grand-père disait qu'autrefois, les contes permettaient d'oublier la famine. À leur écoute, les plus jeunes sublimaient la faim et, enivrés par leur poésie, ils s'abandonnaient finalement dans les bras de Morphée.

### Solidarité anonyme

Un soir, durant mon adolescence, mon grand-père me fit venir dans sa chambre et me dit :

– Tu prends ce sac de grains et tu le déposes devant la porte de la maison des Faye, nos voisins.

— Mais pourquoi, en pleine nuit, apporter ces grains à la demeure des Faye?

— Nos voisins n'arrivent pas à joindre les deux bouts. Ils ont besoin de notre aide.

— Il serait plus simple de les faire venir ici.

— Les Faye sont des êtres fiers, Boucar, ils se sentiraient humiliés. Notre village suit une coutume remontant à des temps immémoriaux: celui qui prête assistance à une famille dans le besoin doit attendre la nuit et déposer ce qu'il peut devant sa porte. En se levant, les indigents prennent le contenu du sac, mais ignorent l'identité de leur bienfaiteur. Ainsi, chaque personne rencontrée sur leur chemin devient possiblement ce protecteur. Voilà le secret de la solidarité et des liens inextricables unissant les habitants de notre commune.

Cette nuit-là, obéissant à mon aïeul, j'apportai le sac de grains devant la case de nos voisins. Plus tard, quand je croisai monsieur Faye, il m'adressa un sourire complice, comme s'il savait… Mais à vrai dire, le brave homme avait toujours eu le sourire facile et généreux.

## Si la maison ne peut t'éduquer, la jungle s'en chargera

Je satisfais parfois mon besoin d'exprimer ma québecité en donnant une couleur locale à certains contes de la tradition sénégalaise que me racontait mon grand-père. Le castor côtoiera donc ici le lion et la hyène, et le baobab, l'érable et la fleur de lys. Comme si la ville de Rimouski s'étendait le long du fleuve

Sénégal. Ou que le Saint-Laurent coulait en pays sérère…

Un jour donc, le lion, l'hyène et le chacal allèrent à la chasse dans une baobablière. Ils tuèrent successivement un orignal, un chevreuil et un castor qui déambulaient paisiblement dans la savane. Les trois compères enveloppèrent ensuite leurs victimes dans une fleur de lys, qu'ils déposèrent au pied d'un érable à palabres. Le lion prit alors la parole.

— Hyène, mon amie, on est des potes depuis longtemps et ton amitié m'importe beaucoup. Je t'offre donc de faire le partage de ces trois indigènes des bois francs.

— Cette marque de reconnaissance me flatte, lui répondit l'hyène. Comme, de nous trois, tu as le plus de panache, tu prends l'orignal. Mais je me réserve le chevreuil, et le chacal, qui est plus petit, se tapera l'emblème du Canada.

Contrarié, le lion, qui en avait ras-le-bol des prétentions de ses sujets, bondit sur l'hyène et, d'un coup de patte, lui écrabouilla le dos.

Pendant que la pauvre bête gémissait de douleur, le lion se tourna vers le chacal pour lui proposer de partager le menu du jour, « au nom de leur indéfectible amitié ». L'autre lui répondit du tac au tac :

— En ta qualité de roi de la savane, l'orignal te revient. La gazelle des neiges aussi, dont la chair contient des molécules protégeant de l'effet de serre qui, de nos jours, fait des ravages. Je te laisse également le castor, parce que sa viande est très riche en oméga 3.

Surpris par la subite générosité du chacal, le lion lui lança :

— Ta proposition me convient. Mais d'où tiens-tu ces notions de partage équitable ?

— À vrai dire, le dos fracassé de l'hyène m'a indiqué la voie à suivre.

La morale de cette histoire, aurait dit mon grand-père, est la suivante : si la maison ne peut t'éduquer, la jungle s'en chargera.

## Tends les bras au Ciel, mais continue de chercher

Chaque matin, à peine levé, monsieur Samba battait du tambour, priant pour que sa maison connaisse bonheur et prospérité. Ce n'était pas au Ciel que ses invocations étaient destinées, mais à ses aïeux, qui plaideraient sa cause auprès de l'Esprit tout-puissant.

En Afrique, cette pratique est le propre des religions animistes. On croit à l'existence de divinités bienveillantes qui, toutefois, sont trop éloignées du monde pour entendre la voix de leurs créatures. L'homme accomplit donc des rituels qui, s'ils sont exécutés selon les règles, inciteront ses ancêtres à intervenir en sa faveur auprès des dieux.

Mais revenons à monsieur Samba. Un matin, alors qu'il s'apprêtait à frapper la peau de son djembé, une voix mystérieuse lui ordonna de revêtir la paire de culottes qui traînait dans un coin de sa case.

Samba enfila docilement le pantalon.

— Maintenant, va t'asseoir sur la termitière à l'entrée de ta maison, poursuivit la voix.

L'homme obtempéra, se risquant néanmoins à demander :

– Pourquoi m'imposez-vous cet exercice ?

– Pour obtenir une faveur, mets d'abord tes culottes. Et si tu restes assis à prier, tu en useras le fond. En revanche, si tu te lèves et marches droit devant, ton pantalon te durera longtemps.

Qui veut améliorer son sort doit soulever la poussière au lieu de la garder collée au derrière. L'Esprit créateur ne fait qu'ébaucher l'homme, qui doit y mettre du sien pour accomplir son destin.

– Allez, Samba, ôte ton cul de cette termitière et mets-toi au travail dès maintenant. C'est avec le bois qu'on ramasse pendant sa jeunesse qu'on se chauffe dans ses vieux jours.

## La mort secoue les hommes comme le vent agite les branches d'un arbre

C'est l'histoire d'un petit berger
Assis au bord de la mer :
Son vieil âne s'est effondré.
Voyant du ciel sa misère,
Les vautours se mettent à danser.
Ainsi va la vie sur Terre
Lui dit un vieux qui passait.

Mon grand-père disait parfois : « La mort agit sans discernement : tel un moustique, elle ne se prive pas de piquer un homme parce qu'il est maigre. » Et il ajoutait : « Pendant que l'homme élabore des projets de vie, la mort lui en prépare d'autres. »

## Le soleil n'a jamais arrêté de briller au-dessus d'un village parce qu'il est petit

Mon aïeul maniait les mots avec virtuosité et se montrait très sensible au sort d'autrui. Au cours de la dernière famine qui frappa mon village, mon grand-père avait toujours la phrases qu'il fallait pour nous remonter le moral. Il nous disait : « Les enfants, c'est vrai que l'égalité entre tous les humains de la Terre est un beau rêve, mais malheureusement ce n'est pas à toute oreille percée que l'on accroche des anneaux d'or. La preuve, la mer est bien pleine et, pourtant, il continue de pleuvoir dedans. Alors, si un jour vous êtes privilégiés dans la vie, sachez que vous le serez d'avantage en étant généreux avec les moins nantis. En plus, ajoutait grand-père, vous ne risquez que d'être comparables au soleil, qui n'a jamais cessé de briller au-dessus d'un village parce qu'il est petit. »

## Le chien a quatre pattes, mais il ne suit qu'un seul chemin

Sentant l'appel du royaume des cieux, un pêcheur appela ses deux fils et leur dit : « Celui qui m'apporte le plus gros silure de la rivière sera mon héritier. » Puis, il distribua à chacun un filet et leur indiqua l'emplacement de la fosse où nageait le poisson-chat convoité.

Le lendemain, à l'aube, les deux garçons ratissèrent les eaux à l'endroit convenu. Un chasseur qui les observait s'informa de la raison de ce remue-ménage.

– Nous tentons de capturer le plus gros silure de la rivière.

– Vous avez peu de chances, expliqua le chasseur. Les silures nagent en eau profonde.

Abandonnant aussitôt son jeune frère, l'aîné fila vers une fosse plus profonde située en amont.

Un vacher accompagné de son troupeau s'enquit bientôt de la raison de sa présence en ces lieux.

– Je veux rapporter à mon père le plus gros silure de la rivière.

– Les poissons-chats ne fréquentent pas des eaux aussi claires, fit remarquer le vacher. Surtout pas les adultes, qui se cachent parmi les herbes aquatiques.

Et l'aîné de courir vers un lieu plus propice.

Les passants se succédèrent ainsi, chacun prodiguant ses conseils à l'aîné qui, chaque fois, se déplaça vers une nouvelle fosse.

Pour conclure, grand-père posait invariablement la question suivante : « Vous devinez bien lequel des deux frères a pêché le fameux silure et reçu l'héritage, n'est-ce pas ? »

## Histoire de chèvres

La famine sévissait dans la commune, et les trois chèvres du vieil Abdoulaye ne suffisaient plus à assurer la survie des siens. Le chef du village, aussi officier de l'armée, se pointa soudain.

– Tu donnes quoi à manger à tes chèvres ? s'enquit-il sur un ton autoritaire.

– Quelques brindilles d'herbe, sergent. Pas plus, je vous jure, répondit Abdoulaye, craintif.

— Malheureux, tu n'as pas honte de maltraiter ainsi ces pauvres bêtes ? Regarde, elles sont toutes faméliques ! Viens, je te mets derrière les barreaux, et swing la bacaisse dans l'fond de la boîte à boa…

Pour éviter un séjour dans la « boîte à boa », le vieillard se mit à table. Au terme d'une séance de négociations ardues, il remit au militaire une chèvre en échange de sa liberté. En comptant bien, il ne lui en restait que deux.

Passa la semaine, et le salaud revint à la charge.

— Dis, mon ami, tes chèvres bouffent quoi, maintenant ?

— J'ai bien compris la leçon, mon capitaine : elles ne mangent que du bon grain et des arachides.

— Ho, le mécréant ! Honte à toi, scélérat ! Les gens crèvent de faim, pendant que toi, tu nourris tes chèvres avec du grain ? Suis-moi au poste et matapate alimatou…

Dans mon village, quand une telle menace est proférée, on a intérêt à mettre un coussin dans la partie arrière de ses pantalons pour atténuer la secousse. Après la ronde obligatoire de tractations, le militaire fit main basse sur une seconde chèvre. Cette fois, le compte était plus aisé : le troupeau d'Abdoulaye se réduisit à une seule bête.

Au bout d'une semaine, le vieil homme attendit le retour du militaire en gros sabots.

— Et alors, ta chèvre, elle avale quoi, depuis ma dernière visite ?

— Je ne lui donne que du goût ! répondit Abdoulaye en soulevant le couvercle d'une marmite. Des échalotes, mon général. Constatez par vous-même : je la traite aux petits oignons…

Morale de cette histoire : celui qui a déjà été mordu par un serpent se méfie de ses lacets.

## Quand un éléphant pète dans la savane, c'est le déluge au Québec

Les gens aiment croire qu'ils sont innocents. «Nous autres, on n'a rien à voir là-dedans», voilà une phrase que j'entends régulièrement, au Québec comme ailleurs. À tous les adeptes de l'innocence, je dédie donc cette histoire, débitée en accéléré.

L'écureuil sautait d'une branche à l'autre, quand il fit tomber un fruit sur la tête d'un singe qui somnolait. Se réveillant en sursaut, l'animal cassa une branche qui atterrit dans un nid de perroquets. Les cris stridents des oiseaux firent fuir une biche qui trébucha sur le pied d'un éléphant. En se retournant, le mammifère géant abattit un arbre qui dévala une pente dans un tel fracas que toutes les bêtes s'écrièrent avec effroi : «Ça y est, voilà que commence la saison de la chasse!»

Quittant en bloc la savane, les troupeaux se précipitèrent dans la rivière, dont la boue devint si dense que les poissons peinaient à respirer. Pour leur éviter une mort certaine, un crabe les saisit un à un dans ses pinces et les mit à l'abri dans un puits, où il les rejoignit bientôt.

Venue chercher l'eau du puits, une jeune fille découvrit le crabe dans son seau.

– Ça tombe bien : maman adore les crustacées.

Mais en tentant de saisir le crabe, elle se fit pincer un doigt et retourna au village en pleurant.

— Tu as encore fait une bêtise! lui lança sa mère sur un ton réprobateur.

— Laisse-la tranquille, s'offusqua le père.

— Ne crie pas après notre fille, répliquèrent les parents de la femme.

— Cessez de vous en prendre à notre fils, s'écrièrent ceux de l'homme.

La situation s'envenima tant et si bien que, de part et d'autre, on saisit les machettes. Quand la tuerie prit fin, on dénombra deux mille morts. Interrogés par les autorités, les survivants unirent leurs voix pour jeter le blâme sur l'écureuil.

Quand il achevait de nous raconter cette histoire, grand-père nous demandait toujours : « À vos yeux, qui est responsable de ce malheur ? Et qui est innocent ? »

## Mémoire d'un peuple

Un jour, mon frère Amath demanda à grand-père pourquoi, au début de la saison des pluies, les Sérères avaient coutume d'invoquer les ancêtres. Le vieil homme réfléchit un peu, puis entraîna Amath sous le baobab géant, au centre du village.

— Regarde-le bien, notre arbre à palabres. Il plonge ses racines au plus profond de la terre, là où reposent nos ancêtres. Son tronc noueux et tordu nous représente, nous, les vieux. Et chaque branche qui porte des bourgeons représente la jeune génération, porteuse d'avenir pour notre village. Pour qu'un baobab conserve sa vigueur, la sève doit circuler des racines au tronc, puis des branches aux bourgeons, et inversement. Mais si la sève se tarit, que se produit-il?

– L'arbre se dessèche et meurt, risqua mon frère.

– C'est ce qui arrive à un peuple qui ne respecte pas ceux qui lui ont donné naissance: il oublie ses traditions, il perd sa langue et, lentement, il meurt. Rappelle-toi, Amath: la rivière a un tracé sinueux, parce qu'elle n'a pas d'ancêtres pour lui montrer la voie à suivre.

## Si la mort exigeait une rançon, je paierais celle de mon grand-père

Au crépuscule de ses quatre-vingts ans,
Le dos courbé par le poids du temps,
Grand-père m'a dit: Viens, mon garçon,
Je te transmets notre tradition.
À ton tour de la perpétuer,
À moi de me préparer au grand voyage.
Dans ce pays, m'a-t-il confié,
On ne chante pas juste pour chanter,
On chante aussi pour prier,
Et pour prier, il faut danser.
Comment ne pas tanguer,
Se balancer et se déhancher
En suivant les rythmes du monde?
Danse du feu ou de la pluie,
Danse du vent ou de la moisson,
Chantons et rendons hommage à la vie.
Une fois au pays de mes ancêtres,
Pas de larmes, de cris, de cérémonie,
Chantez, dansez et célébrez ma vie!
Ainsi m'a dit mon cher grand-père.

# PROLOGUE

**Un baobab a beau être énorme,
il provient d'une minuscule graine.**

# Les quatre tresses

Dans le Sénégal de mon enfance, mon grand-père nous parlait souvent d'un temps, bien avant l'arrivée des premiers missionnaires, où régnait sur une petite province un roi prétentieux et assoiffé de pouvoir. Ce roi était plus préoccupé par sa propre image que par les problèmes de son peuple. Aussi, sa cour n'était constituée que de courtisans chantant ses louanges. C'étaient, comme on dit chez moi, des gens qui trouvaient que les flatulences du souverain ne puaient jamais. On racontait même qu'un jour, alors qu'on l'attendait sous l'arbre à palabres, le roi, arrivé en retard, annonça à la population : « En traversant la rivière, le ciel s'est mis à s'effondrer et il a fallu que j'attache mon cheval pour repousser la voûte céleste loin de mon royaume. » Après sa fracassante révélation, ses partisans entonnèrent un hymne improvisé au roi chasseur de ciel.

Un vieillard, qui s'appelait Fari, s'approcha alors du souverain et lui dit :

– Votre Altesse, **l'œil ne porte pas de charge, mais il sait reconnaître ce que la tête est capable de supporter.**

Sans être choqué, le roi se tourna vers Fari et lui répondit :

– Je sais que tu n'as pas beaucoup d'affection pour moi. D'ailleurs, j'ai plusieurs fois pensé te chasser de mon royaume. Mais j'ai une meilleure solution. Je vais te donner des vaches et du pouvoir et, en échange, tu obéiras à mes ordres, tu deviendras mon ami et tu chanteras mes louanges.

– Je ne veux pas perdre ma dignité pour quelques vaches et un semblant de pouvoir, répondit Fari.

– Pourquoi ne veux-tu pas prendre la richesse, le pouvoir et l'amitié que je t'offre en échange d'une simple courbette ? demanda le roi mécontent.

– Je ne veux pas de votre richesse parce que mon propre père m'a appris que **lorsque ramasser devient facile, se baisser devient difficile**, répondit Fari. Et de votre pouvoir, je ne veux pas non plus, parce que je suis convaincu qu'**il est préférable d'être la tête d'une souris que la queue d'un lion**. Je n'ai pas besoin non plus de votre richesse pour cheminer dans la vie. Tout comme **les feuilles de bananier n'ont pas besoin de tam-tams pour danser.** Votre Altesse, **le grillon ne tient-il pas dans une main ? Pourtant, cela ne l'empêche pas de se faire entendre dans toute la prairie.**

– Si tu veux me défier, libre à toi ! Cependant, rappelle-toi que **même si une graine réussit à germer sous un baobab, elle mourra arbrisseau**, répondit le roi.

– Vous avez peut-être raison, Votre Altesse, rajouta Fari. Mais, vous devez aussi savoir qu'**un baobab a beau être énorme, il provient d'une minuscule graine.**

Sur ce, le roi demanda à ses gardes de mettre le vieux Fari en prison pour une semaine. À la fin de la sentence, il envoya un messager annoncer à Fari qu'il allait être libéré à condition qu'il renonce à la parole et qu'il quitte le royaume. Fari se mit alors à réfléchir sur la meilleure façon de procéder pour dire au monarque ses dernières pensées avant de quitter son royaume. C'est ainsi qu'il décida, juste avant sa libération, de se faire quatre tresses sur la tête. Il savait que cela intriguerait le souverain et que ce dernier voudrait en savoir plus sur sa parure. C'est ainsi que le roi, quand il aperçut le prisonnier qui s'éloignait avec ses quatre tresses sur la tête, s'empressa d'aller lui demander des explications :

— Est-ce que ces tresses sont le symbole de pratiques occultes destinées à ébranler mon trône et à assouvir ta soif de vengeance ? Je veux que tu m'expliques tout avant de quitter ce village.

— Cette coiffure, répondit Fari, fait partie d'un rite initiatique que j'ai hérité de mon père. Chacune des tresses représente une pensée qui m'est très chère.

— Puis-je connaître les pensées cachées dans tes tresses ? demanda le roi.

— Votre Altesse, la première tresse dit que **ce n'est pas parce qu'un morceau de bois est resté longtemps dans une rivière qu'il va se transformer en crocodile**. La deuxième tresse affirme que **le mensonge a beau faire une semaine de route, la vérité finit toujours par le rattraper en une journée**. La troisième dit que **la vérité est comme du piment : elle pique les yeux, mais ne les crève pas**. Enfin, la quatrième tresse rapporte que **les hautes herbes peuvent avaler les pintades, mais ne peuvent pas avaler les cris des pintades**.

Après avoir donné la leçon au roi, Fari quitta le royaume. Depuis, les griots lui ont composé une chanson : la chanson de l'homme qui faisait parler les choses, de l'homme dont la parole, au-delà des oreilles, charmait le cœur et l'esprit.

# MON AFRIQUE

## Histoires de savane

# Les pouvoirs de la parole

Je voudrais partager avec vous quelques aspects des rites initiatiques des Sérères du Sénégal. Traditionnellement, les Sérères croient qu'il y a trois naissances dans une vie humaine. La première naissance, c'est quand on sort du ventre de sa mère. La deuxième naissance se produit au moment de la circoncision pour les hommes, à celui du mariage pour les femmes. Et la troisième naissance, c'est la mort. Après la mort, le corps retourne à la terre. Une partie de l'âme du disparu se réincarne dans la famille, alors que l'autre partie reste auprès des divinités. Chez moi, et dans presque toute l'Afrique noire traditionnelle, la société comprend, en plus des vivants, les morts et les enfants à venir.

Mon grand-père comparait notre société à un baobab. Il disait : « Regardez ce baobab qui nous sert d'arbre à palabres. Ce géant de la savane plonge profondément ses racines dans la terre où reposent nos ancêtres. Son tronc majestueux représente les vieillards, et chacune de ses branches prépare, dans ses bourgeons naissants, l'avenir, la nouvelle génération qui continuera à perpétuer la tradition que nous ont léguée nos ancêtres. Pour qu'un baobab reste vigoureux, il faut que la sève continue de circuler des racines aux bourgeons et des bourgeons aux racines. » « **Si les civilisations meurent comme les hommes, le présent** ne devrait-il pas sortir du passé et l'avenir du présent ? » répétait un sage africain. « **Si la rivière a un tracé sinueux, c'est parce qu'elle n'a pas d'ancêtres à suivre** », disait aussi mon grand-père. Ou encore : « **Ce sont les arbres qui ont plus de branches que de racines qui tombent plus facilement sous l'effet du vent.** »

Pour les jeunes garçons, la circoncision survient vers l'âge de quatroze ans. Les jeunes de la même cohorte forment alors ce qu'on appelle une classe d'âge. Il est très important de les préparer psychologiquement avant la circoncision, car la pire honte qui puisse accabler une famille sérère, c'est de voir un de ses garçons pleurer pendant l'opération. On a déjà vu des papas se suicider juste parce que le fils avait versé des larmes pendant sa circoncision.

La circoncision est vécue en même temps comme une naissance et comme une mort. Le jour venu, quand les hommes quittent le village avec les jeunes garçons, les mamans commencent à pleurer. Sur la route de la circoncision, on harangue les jeunes, on les prépare au supplice qui les attend parce que la douloureuse opération est effectuée à froid, avec un couteau. Une fois le prépuce coupé, le sorcier soigne la plaie avec un mélange de médicaments ; généralement, une potion dont il a hérité de ses ancêtres le secret de la fabrication. Après la circoncision, les jeunes reviennent au village en file indienne, du plus jeune au plus vieux de la classe d'âge. Pendant ce temps, les mamans attendent à l'entrée des maisons ; chaque garçon doit alors téter sa mère pour une dernière fois. Je ne sais pas si vous pouvez imaginer ce que représente téter sa mère à quatroze ans, mais, pour moi, ça n'a pas été facile. Après la tétée, chaque maman donne un pagne de coton à son enfant et lui tourne le dos comme pour lui dire : « Te voilà sevré pour de bon. » Commence alors la retraite, qui dure de trente à quarante jours, dans la cabane d'initiation installée à l'extérieur du village. Un séjour qui fera mourir les initiés dans leur corps d'enfant pour les voir renaître dans leur corps d'homme adulte prêt à affronter la vie. Les circoncis deviennent des initiés s'engageant sur la longue route de la sagesse, la seule clé qui permet d'entrer au pays des ancêtres après la mort. Seul un dévouement complet à la vie et aux règles de la société peut amener un Sérère au pays des ancêtres. C'est pour ça qu'on dit que **l'initiation commence à la circoncision et finit au cimetière**. Les Sérères croient que le grand Dieu est trop loin pour qu'on le prie directement. Il faut donc danser, chanter et faire des offrandes aux ancêtres pour leur demander de lui parler. En général, les ancêtres sont sollicités pour faire tomber la pluie, éloigner la maladie, les criquets et bien d'autres désastres naturels.

Pour avoir le droit de parole auprès du grand Dieu, il faut avoir accepté de son vivant d'emprunter la route de la sagesse. Et c'est dans les cabanes d'initiation qu'on apprend au jeune garçon les secrets de cette sagesse. De la chanson initiatique au langage des signes, en passant par les règles de la vie sociale, les jeunes n'ont pas le temps de s'ennuyer. Pendant les quarante jours que dure la formation, on leur enseigne que la route de la sagesse est longue et éprouvante. Que quiconque l'emprunte doit se rappeler

45

que **partir le matin de bonne heure se décide la veille au soir**. Ils doivent aussi savoir que la sorcellerie attire tous ceux qui sont affamés de pouvoir, ou ceux qui n'ont ni la naissance requise ni la patience d'un long apprentissage. On leur apprend à se méfier de tous ces gens qui cherchent des chemins tortueux pour sauter des étapes, car **aucun arbre ne peut donner de bons fruits avant d'avoir fleuri au préalable.**

« Si vous voulez cheminer dans la vie et apprendre sans oublier, nous disait un ami de mon grand-père, écoutez les vieillards. Un grand sage malien a écrit : "En Afrique noire, **un vieillard qui meurt, c'est comme une bibliothèque qui s'enflamme.**" Ouvrez aussi votre cœur à l'étranger qui a toujours une richesse à partager, car **la sagesse est comme un baobab : une seule personne ne peut entourer tout son tronc.** »

Quand mon grand-père enseignait dans un lieu d'initiation, il insistait toujours sur le rôle de la parole. Il parlait de la parole qui divise, de celle qui rassemble, de celle qui écorche et de celle qui calme. La parole et les palabres occupent une place centrale dans la stabilité sociale, pas seulement chez les Sérères, mais dans toute l'Afrique noire traditionnelle. Leur importance est telle qu'ils ont donné naissance à nombre de proverbes, que j'ai appris de la bouche de mon grand-père, désireux de nous sensibiliser à l'importance du verbe. En voici quelques-uns : « **Je vous avais prévenu** » est plus beau dans la bouche d'un vieillard que « **Je savais que ça allait arriver** ». **On lie les vaches par les cornes et les humains par la parole. Une langue qui fourche peut faire plus mal qu'un** pied qui trébuche. L'oiseau se piège par les pattes et l'homme, par la langue, car **la parole est comme une balle de fusil : une fois sortie de la bouche, on ne peut plus rien faire. On est maître de sa parole avant de la prononcer, mais comme on peut en devenir l'esclave une fois qu'elle a quitté notre bouche, il est parfois plus sage d'écouter que de parler. La mauvaise parole est comme une lance plantée dans le tronc d'un baobab : on a beau essayer de la retirer avec précaution, elle laisse une plaie ouverte, souvent difficile à guérir. Les traces de coups disparaissent avec le temps, mais celles des injures restent toujours.**

Si aujourd'hui la tradition orale a tendance à disparaître en Afrique, ce n'est pas à cause de la radio ni de la télé ni d'Internet. C'est parce que le droit à la parole nous a été enlevé. On a maintenant des gens pour nous faire parler ou tout simplement pour parler à notre place, par exemple les avocats, les politiciens et les délégués syndicaux. Tous ces gens sont payés pour nous priver de ce que nous avons de plus précieux : le droit à la parole. Mon grand-père disait : « **On ne confie pas à une hyène le cadavre d'une antilope.** »

Le moustique n'a jamais épargné
un homme de ses piqûres
parce qu'il est maigre.

# Alioune et la poule

Après l'initiation, les jeunes garçons entraient dans le monde des adultes et devaient alors se comporter comme tels. Ils devaient être capables, entre autres choses, de surmonter leurs peurs et de faire preuve de leur courage en toutes circonstances. Ce dont mon cousin Alioune était incapable quand il s'agissait de tuer un animal. Alioune était connu dans mon village comme une personne qui ne pouvait supporter la vue du sang. Malheureusement pour lui, juste après son initiation, mon père le fit venir sous l'arbre à palabres et lui annonça ce que toute la famille craignait de voir arriver un jour :

– Aujourd'hui, tu vas tuer une poule.

Alioune se mit alors à trembler et à supplier mon père :

– Tonton, je ne veux pas tuer une poule !

– Il est temps que tu fasses un homme de toi. Alors, tu vas attraper un volatile, l'amener derrière la case et lui couper la tête, insista mon père.

Évidemment, étant initié, Alioune n'avait pas le choix d'obéir au patriarche, mais il avait encore quelques heures devant lui, car attraper une poule du Sahel n'est pas une mince affaire. Il faut mobiliser la moitié d'un village pendant au moins une heure pour y arriver. C'est pour cette raison qu'on les appelle « poules Bikila ».

On raconte qu'en 1960, juste avant les Jeux olympiques de Rome, Abébé Bikila, qui allait devenir le premier Africain à remporter l'épreuve du marathon, s'entraînait en Éthiopie à capturer des poules. Un mois à poursuivre des volatiles lui a suffi comme entraînement pour remporter haut la main l'épreuve du quarante-deux kilomètres pieds nus. Depuis cet exploit, les poules du Sahel qui descendent génétiquement des poules d'Éthiopie portent le nom de « poules Bikila ».

Après avoir donné le couteau à Alioune, mon père envoya une armée de sprinters capturer la poule. Quand les enfants revinrent deux heures plus tard avec la bête à plumes, ils racontèrent qu'elle avait fait quatre fois le tour du village, grimpé sur cinq cases, attaqué trois chiens à coups de bec et escaladé le grand baobab avant de se laisser prendre. Alioune tenait la poule dans la main gauche et le couteau dans la main droite et il tremblait de tout son corps. Tellement que ma mère, qui n'en pouvait plus de le voir souffrir, lança à mon père :

— Tu vois bien qu'il a le cœur trop sensible pour enlever la vie à cet animal. Pourquoi ne le laisses-tu donc pas tranquille ?

— Ce n'est pas parce qu'il a peur du sang qu'il ne fera pas son devoir d'initié. **Le moustique n'a jamais épargné un homme de ses piqûres parce qu'il est maigre**, répondit mon père.

Alioune s'éloigna alors avec la poule derrière la case. Il avait comme mission de déposer le volatile par terre et de lui trancher le cou. Mais il tremblait tellement qu'on était certains qu'il allait manquer son coup et se couper le pouce. Heureusement, après quelques minutes passées derrière la case, on vit Alioune revenir un peu plus décontracté.

– As-tu tué la poule ? lui demanda mon père.

– Oui, tonton, j'ai tué la poule, répondit Alioune en souriant.

– Tu vois que ça n'a pas été aussi difficile que tu le croyais.

Tous se mirent alors à ovationner mon cousin pour avoir enfin surmonté sa peur du sang. Cependant, au beau milieu des célébrations, on vit arriver la poule qui titubait, incommodée par le mince filet de sang qui lui longeait la gorge.

– Est-ce que c'est la poule que tu viens de tuer qui se balade devant nous ? cria mon père à Alioune.

Tout le monde éclata de rire en voyant le supposé cadavre se promener. Alioune, blessé dans son orgueil, essaya de rattraper l'animal et de finir le travail. Mais, comme disait mon grand-père, **on ne marche pas deux fois de suite sur les testicules d'un aveugle.** La poule ne se laissa pas piéger une seconde fois. Au contraire, elle devint véritablement méfiante. Sa plaie finit par guérir. Elle recommença même à pondre des œufs et à faire des petits poussins. Et pour secouer mon cousin Alioune, chaque fois qu'un étranger venait à la maison, mon père ne pouvait s'empêcher de l'amener derrière le poulailler et de lui dire : « Est-ce que tu vois cette poule qui picore avec ses poussins ? Si je te disais qu'Alioune a déjà tué cet animal, me croirais-tu ? »

Se tromper de chemin c'est aussi
apprendre à trouver son chemin.

# L'école de mon village

Dès ma plus tendre enfance, j'évoquais déjà les sapins couverts de neige et beaucoup d'autres éléments de la culture des Blancs, sans toutefois savoir de quoi il s'agissait. En fait, dans les années soixante-dix, alors que je commençais à apprendre la langue de Molière, nos programmes scolaires étaient une sorte de fusion entre le système d'enseignement français et celui, traditionnel, de nos ancêtres. Il nous arrivait donc de parler durant tout un avant-midi de flocons de neige sur des sapins et, l'après-midi, de nous demander de quelle couleur était cette fameuse neige. « Bien avant vous, nous disait mon oncle, on nous enseignait que nos ancêtres étaient des Gaulois. Et, comme le voulait la tradition, l'enseignant exerçait sur sa classe l'ascendant que le patriarche avait sur sa famille : il donnait des ordres et il fallait les exécuter sans poser de questions. »

À l'époque, dans chaque classe du primaire, il y avait trois rangées : celle des élèves brillants, celle des élèves moyennement intelligents et celle des cancres. Aux brillants et aux moyennement intelligents, l'enseignant portait une attention particulière. Et aux cancres, il demandait de se taire et de ne pas déranger ceux qui avaient plus de neurones dans la tête. Aussi n'était-il pas rare de voir des enfants arriver à la troisième année du primaire sans savoir écrire leur nom. À sa quatrième année du primaire, mon cousin Djibi nous avait beaucoup fait rire en nous annonçant qu'il avait vu un Allemand qui mangeait un rat dans la rue. En réalité, il pensait que le nom français du chien était « Allemand », parce qu'on disait « berger allemand » ; comme Djibi était lui-même à l'époque un berger, alors le chien devait automatiquement être l'Allemand.

Il faut dire que la difficulté principale qu'on rencontrait quand on commençait à apprendre le français, c'était le vocabulaire. En effet, contrairement aux jeunes Français ou aux Québécois dont le français est la langue maternelle, en Afrique, quand les enfants arrivaient en classe, ils ne parlaient que leur dialecte. Il fallait tout leur enseigner. On devait leur apprendre ce qu'est une cuillère, un arbre, une chambre, bref, il fallait leur traduire en français toutes ces petites choses qu'ils savaient déjà nommer dans leur dialecte. Évidemment, dans la classe, les enfants avaient souvent tendance à utiliser leur dialecte pour communiquer entre eux. Pour contourner cette mauvaise habitude qui retardait leur apprentissage du français, nos enseignants avaient inventé un système qu'on appelait « le symbole ». **Il faut façonner l'argile pendant qu'elle est molle**, dit un proverbe de chez nous. Le symbole était une sorte de chapeau affreux orné de cornes de bouc qu'on remettait à tout élève surpris en train de parler son dialecte en classe. Si porter le symbole sur sa tête était une honte, le ramener à la maison était une catastrophe familiale. En effet, même si la plupart des parents d'élèves étaient analphabètes, les enseignants avaient réussi à leur faire comprendre que porter le symbole était un signe que leur enfant ne travaillait pas en classe. Qu'il ne s'efforçait pas d'apprendre la langue des Blancs. Et que, par conséquent, il ne pourrait jamais devenir fonctionnaire de l'État, gagner un salaire et acheter du riz pour nourrir les enfants engendrés par la polygamie de son père. Évidemment, revenir à la maison avec le symbole était durement sanctionné par les parents. **Tout le monde trouve l'idiot sympathique, mais personne ne le veut comme fils.**

Mon cousin Djibi était revenu si souvent à la maison avec un symbole qu'un jour mon père lui avait dit : « Il serait plus simple pour ton enseignant de te faire coudre cet accoutrement sur la tête. » Mon père avait réprimandé Djibi quelques fois, mais avait fini par réaliser que son cerveau était imperméable à la langue française. Il se contentait donc de le supplier de ne pas revenir à la maison avec le trophée de la dernière place de sa classe. En effet, en dehors du symbole, la honte ultime d'une famille était de voir un de ses membres être le *n'daré* de sa classe. Ce terme wolof, qui ressemble étrangement à « taré », désignait l'enfant le plus idiot de la rangée des cancres. Il était attribué à l'élève qui obtenait la plus faible moyenne de son groupe. Et, chaque fois qu'un *n'daré* était annoncé dans une classe, tous les enfants de l'école se réunissaient pour le raccompagner chez lui en lui scandant : « *N'daré, bountou toune !* » Ce qui peut se traduire par : « Voilà le trou du cul de l'école ! » Cette pratique était traumatisante pour le *n'daré*, mais aussi pour sa famille. C'est pour ça que mon père n'arrêtait pas de dire à Djibi : « Tant que tu demeures l'avant-dernier de ta classe, comme c'est toujours le cas, l'honneur de notre famille est préservé. » Djibi avait occupé l'avant-dernière place pendant deux ans. Mais **où a-t-on vu l'hyène déserter les environs des cimetières ou le vautour, l'arrière des cases?** Un jour, ce que tout le monde craignait se produisit. À la fin des classes, Djibi revint à la maison, suivi de toute l'école scandant : « *N'daré bountou toune!* » Mon père était tellement fâché qu'il décida de le retirer de l'école pour en faire un berger à temps plein. Quelques mois après son départ de l'école, Djibi expliqua à mon père que ce n'était pas sa faute s'il avait pris la dernière place, c'était parce que l'idiot qui avait l'habitude de lui servir de protection avait changé d'école.

**Le mensonge donne des fleurs,
mais pas des fruits.**

# Papillons et poils de pubis

Si les papillons sont en voie d'extinction dans certaines parties de l'Afrique de l'Ouest, je peux vous assurer que j'y ai contribué involontairement. En effet, quand j'étais adolescent, nos aînés nous faisaient croire que la poudre des ailes de papillons était capable de faire pousser les poils du pubis. Comme à cette époque on rêvait tous d'avoir de la pilosité pubienne, il nous fallait trouver cette poudre. On sillonnait alors la savane à la recherche de papillons et, quand on en capturait un, on lui coupait les ailes et on s'en frottait le pubis. Étant donné la diversité de couleurs que l'on retrouve chez les espèces de papillons qui peuplent notre savane, on revenait parfois à la maison avec le pubis arc-en-ciel. Chaque soir, on se couchait en espérant se réveiller avec une touffe de poils et, chaque matin, c'était la même déception.

C'est pendant une de ces expéditions de chasse aux papillons que nous avons, mon ami Ibou et moi, rencontré pour la première fois un groupe de jeunes Blancs. Probablement des Français qui parcouraient la savane à la recherche de je ne sais quoi. Ils avaient passé la nuit sous une tente installée à l'ombre d'un grand baobab, une chose qu'aucun Sérère, même le plus téméraire, ne ferait jamais. Les baobabs, surtout quand ils sont vieux, sont les résidences principales des djinns, ces esprits de la nuit qui, grâce à leur regard, peuvent transformer l'homme le plus intelligent en idiot pour le restant de sa vie. Chez nous, tous ceux qui ont déjà vu des djinns les décrivent comme des créatures vêtues de blanc. C'est peut-être pour ça qu'ils ont une certaine complicité avec les Blancs. Ou alors, ils représentent l'antagoniste du diable des Blancs qui est toujours noir.

Ce jour-là, pendant que la bande se protégeait des rayons du soleil sous le baobab, un jeune homme se détacha du groupe et se dirigea vers le grand acacia, à environ cent mètres du campement. Il alla se soulager derrière l'arbre. Pendant que le jeune homme s'affairait, mon ami Ibou, qui était très curieux, s'approcha de moi et me dit : « Je te parie que les Blancs n'ont pas la même couleur de caca que nous. » Moi, je pensais que nos différences n'étaient qu'extérieures, mais il fallut attendre que le jeune quitte le derrière de l'arbre pour vérifier. Quand, quinze minutes plus tard, nous nous avançâmes vers le lieu du drame, déjà nous pûmes apercevoir une masse blanche suffisamment bien localisée derrière l'arbre pour que mon ami s'exclamât : « Tu vois ce que je t'avais dit ! As-tu vu quelqu'un de chez nous sortir de son ventre une masse aussi blanche ? » C'est seulement à un mètre des lieux qu'Ibou réalisa que ce qu'on venait de voir n'était autre que du papier hygiénique. Mais, pour des jeunes qui croyaient que la poudre d'ailes de papillons pouvait faire pousser les poils du pubis, on était loin de savoir ce qu'était du papier hygiénique !

## Si le sourd n'entend pas le tonnerre, il verra la pluie.

Il y avait dans mon village un sourd-muet qui s'appelait Pape Mbaye, mais tout le monde l'appelait Mouma. Il était fanatique de la chasse au lance-pierres. Bien souvent, il manquait sa cible et écorchait les gens du village. Les plus vieux avaient beau gesticuler et essayer de lui faire comprendre qu'il devait faire attention aux balles perdues, ça lui entrait par une oreille et ressortait par l'autre. Un jour, en sortant du village, mon père, qui allait travailler dans les champs d'arachides, perçut sur le baobab, aux abords des habitations, un bourdonnement d'insectes. Après s'être approché de l'arbre, il découvrit que des abeilles africaines en migration avaient fait escale dans le village et avaient choisi de se reposer sur le baobab avant de continuer leur route. Une énorme ruche était suspendue à une branche, et les insectes tournoyaient et faisaient des va-et-vient, prêts à sortir leur dard pour protéger leur nouvelle demeure. Mon père fit alors demi-tour pour avertir les habitants du danger qui menaçait les abords des concessions. Il envoya ensuite quelqu'un chercher Mouma, et il lui expliqua qu'il ne fallait surtout pas tirer avec son lance-pierres sur l'arbre hanté.

Un matin, quelques jours après l'arrivée des abeilles, Mouma finit par faire ce que tout le monde craignait. Pendant que les habitants se préparaient à déjeuner avant d'aller travailler dans les champs, une armée d'abeilles prit notre village d'assaut. Les soldats volants se déchaînèrent tant sur la population que sa migration vers d'autres contrées devint inévitable. Pendant que les habitants du village prenaient leurs jambes à leur cou, j'eus la mauvaise idée de me cacher dans le champ de mil dont les plants étaient plus hauts que moi. Quand mon père, qui s'éloignait avec le reste du village, se rendit compte que je n'étais pas là, il revint sur ses pas pour me chercher. Ce faisant, il se fit tellement piquer par les abeilles qu'une heure plus tard, quand je sortis enfin du champ, il vomissait sans arrêt.

Mais celui qui souffrit le plus de la furie des abeilles fut celui qui l'avait provoquée. Quand Mouma revint au village après deux heures, il était couvert de boue et avait le front qui saignait abondamment. En fait, comme il n'avait pu crier ni entendre les gens l'interpeller pour lui dire quoi faire, il avait couru dans l'espoir de semer les abeilles. Et comme sa pointe de vitesse n'était pas parvenue à le distancer de l'ennemi, un changement de stratégie fut nécessaire à sa survie. C'est là que lui vint l'idée de plonger dans la mare située à l'orée du village. Mitraillé par les abeilles, Mouma avait oublié qu'il n'y avait pas suffisamment d'eau dans l'étang. Il s'enfonça dans la boue la tête la première et se la fracassa sur une roche. Comme disait mon grand-père, **quand la malchance t'habite, même une banane mûre peut te casser une dent**. Quand mon père vit Mouma arriver dans le village en pleurant, il lui dit : « Je t'avais bien prévenu du danger, mais tu es têtu comme une mule. **Si le sourd n'entend pas le tonnerre, il verra la pluie.** » Cependant, comme personne n'avait pu expliquer la leçon à Mouma en langage de sourd-muet, elle lui était passée six pieds au-dessus de la tête et, le lendemain, le front recouvert d'un pansement, il avait de nouveau son lance-pierres à la main.

**Comme il est dans l'eau,**
**on ne sait pas que le poisson pleure.**

# L'arrivée de la télévision
# dans mon village

Quand l'électricité arriva finalement dans mon coin de pays, ce fut la fête dans le village. Tout le monde dansait et chanta l'arrivée de cette énergie miraculeuse. Deux semaines plus tard, à leur grande surprise, les villageois réalisèrent qu'on leur coupait le courant un jour sur deux pour alimenter les voisins. Pour apaiser leur colère, mon frère leur expliqua que, si le précieux jus disparaissait un jour sur deux, c'était parce que le courant était alternatif.

Avec l'électricité, les commodités commencèrent à arriver. La première fois que mon frère apporta un congélateur à la maison, il faisait 40 degrés à l'ombre. Mon grand-père se rasa alors la tête et la plongea dans le congélateur toutes les trente minutes, histoire de se refroidir le système nerveux. Et chaque fois qu'il avait la tête dans le congélateur, mon frère nous criait: «Venez voir, grand-père est encore parti en voyage au Canada!» Grand-père venait de découvrir les joies de l'hiver sans sortir du Sénégal. Il y a un proverbe chez moi qui dit: **Celui qui voyage dans sa tête visite les pays de son choix et va à la vitesse qui lui plaît.**

Avant l'arrivée de la télévision dans mon village, il y avait un seul téléviseur dans la petite ville voisine. On allait donc, certains soirs, dans la maison de ce bienheureux propriétaire pour regarder un mélange de neige et d'ombres chinoises qu'on appelait des émissions. Évidemment, le monsieur se sentait envahi, mais **on ne peut mener un troupeau de souris sans se faire harceler par les chats.** À cette époque, entre mon village et la petite ville voisine, il y avait une énorme mare qui, pendant la saison des pluies, était remplie d'eau et couverte de nénuphars. Dans cet étang vivaient des boas qui, parfois, venaient attraper des poules dans les maisons de mon village. Mais la télévision était si importante pour nous que nous prenions le risque de traverser cette mare juste pour pouvoir regarder une émission. Chaque soir, en traversant l'étang, je me voyais saisi et étouffé par un de ces gros serpents constricteurs. Quand, quelques années plus tard, la télévision finit par arriver dans mon village, on célébra sa naissance tout comme on l'avait fait pour l'électricité. Mais les gens étaient tellement mal informés sur cette nouvelle technologie qu'ils se comportaient comme des idiots devant l'écran.

Je revois encore certains vieillards qui, en attendant le début du programme, s'arrangeaient les cheveux ou soignaient leur sourire pour ne pas avoir l'air bizarre devant le présentateur. La plupart des villageois croyaient si fort que le présentateur les voyait qu'ils répondaient à ses salutations. Il n'était pas non plus rare de les voir intervenir directement pour tenter de changer le déroulement d'un scénario. Un jour, alors qu'elle regardait un documentaire scientifique, ma tante se mit à crier pour avertir un explorateur de la présence d'un lion derrière lui. Le monsieur ne l'écouta évidemment pas et il finit par être blessé par le félin. À cette époque, le même programme pouvait passer plusieurs fois dans la journée. Chaque fois que ma tante revoyait la scène, elle était convaincue que l'explorateur ne ferait pas la même erreur une autre fois.

Le plus difficile avec ces premiers téléviseurs était d'ajuster les énormes antennes qui permettaient de capter les images. Les gens rivalisaient d'astuce pour avoir le moins de neige possible. On racontait même qu'un homme attachait son garçon à l'antenne et lui mettait un seau rempli d'eau sur la tête pour éclaircir l'image.

Cependant, la technique la plus efficace avait été inventée par un de nos voisins. Il avait installé l'antenne au sommet du baobab, mais continuait à se taper parfois des tempêtes de neige. Puis un jour, un des enfants remarqua que, chaque fois qu'un oiseau se posait sur l'antenne, la qualité de l'image s'améliorait. Alors, l'homme attrapa un coq et l'attacha à l'antenne.

Un jour, alors qu'on regardait une émission, il se mit à neiger dans le petit poste de télévision. « Papa, je pense que le coq s'est échappé ! » cria l'enfant. Tous les membres de la famille sortirent de la maison pour voir ce qui s'était passé : un voleur avait pris la clé des champs avec une partie de l'antenne. L'ayant traqué sans succès dans la brousse, la famille eut la surprise de constater, en revenant à la maison, que le voleur, plus rusé, avait profité de leur absence pour emporter aussi la télévision. Pour réconforter sa famille, le patriarche dit : « Savez-vous pourquoi le voleur a un avantage sur sa victime ? **Pendant que le volé**

**prend toutes les directions, le voleur en prend une seule.** »

Le cinéma de la petite ville de Fatick était une salle à ciel ouvert. Chaque fois que j'ai raconté l'histoire de notre cinéma qui était sans toit, on m'a demandé comment on faisait en temps de pluie. Eh bien, je vous assure que l'ennemi du cinéma de Fatick n'était pas la pluie, mais les chauves-souris ! En effet, l'écran était placé sous un grand fromager, ce grand arbre des régions tropicales qui n'a rien à voir avec le fromage, mais qui servait de dortoir à la plus grosse colonie de chauves-souris de la région. Certains soirs, les cris des bestioles nocturnes arrivaient même à enterrer le son du film. Ou encore, les ombres des mammifères volants se mélangeaient de façon harmonieuse aux images. Cependant, le plus gros problème avec les chauves-souris, c'était qu'elles nous chiaient dessus sans cesse…

Le deuxième problème avec notre cinéma était son exiguïté. Quand il y avait un bon film, tous les gens des villages voisins venaient en ville. Comme l'endroit était trop petit pour accueillir tous les agriculteurs et bergers en manque de culture, il y avait toujours des insatisfaits. Ceux qui ne pouvaient pas entrer ne retournaient pas auprès de leurs vaches. Ils restaient à l'extérieur de la salle et balançaient de temps en temps des pierres sur les spectateurs pour montrer leur mécontentement. Ce sont justement ces jets de pierres qui ont causé mon divorce d'avec le grand écran de Fatick. Un jour, alors que je revenais d'une représentation la tête pleine de sang, mon grand-père m'a dit : « **Quand l'appât vaut plus cher que le poisson, mieux vaut arrêter de pêcher.** »

Quand l'appât vaut plus cher que
le poisson, mieux vaut arrêter de pêcher.

# La vache sérère :
# un dieu beuglant

Chez les Sérères, ces agriculteurs du centre du Sénégal, la vache est considérée comme une sorte de dieu beuglant. On l'élève non pour sa viande, mais surtout pour la bouse qui est un excellent fertilisant pour le mil et le sorgho. Ma famille avait une cinquantaine de vaches, et nous, les enfants, étions les esclaves de ces vaches. Il suffisait que les hyènes mangent une ou deux vaches pour que mon père décide unilatéralement : « Je connais la solution. Les enfants vont désormais passer la nuit dans une hutte, à côté du troupeau. » Nous dormions alors à deux sur un lit surélevé, en pleine brousse, chargés de la mission d'éloigner les hyènes. Avec une machette comme seule arme et une flûte taillée dans une corne de zébu, nous n'impressionnions guère les hyènes.

Non seulement les vaches étaient-elles vénérées, mais elles étaient craintes. Les Sérères ont une telle frousse de certaines vaches qu'ils préfèrent affronter un lion que d'essayer de les égorger. Des vaches les plus vénérées, il y a cette variété sans cornes qu'on appelle « dike ». En fait, chez le *dike*, la perte des cornes est le résultat d'une mutation génétique. Les *dikes* sont tellement craints qu'il est impossible de trouver un boucher pour en tuer un quand vient le temps d'organiser des funérailles.

Les histoires bizarres à leur sujet, il y en a dans tous les villages de mon coin de pays. Chez moi, on racontait souvent l'histoire de ce grand sorcier qui, un jour, fut traumatisé par un *dike*. Il avait attaché l'animal et se préparait à lui mettre le couteau sur la gorge quand, subitement, il vit un lion à la place de la vache. Il fut si bouleversé par cette vision que les villageois durent, chaque vendredi de début d'hivernage, lui verser du sang de coq sur la tête et danser autour de lui en portant des masques pour éloigner l'esprit du lion qui le hantait toujours. On parlait aussi de cet homme qui entendit l'animal qu'il se préparait à zigouiller lui dire : « Tu ne mangeras pas de viande. » L'homme eut si peur qu'il rassembla les patriarches du village et leur annonça que la vache lui avait parlé. Lui aussi, on lui arrosa la tête de sang de coq, et on le désensorcela pour l'empêcher d'entendre de nouveau des vaches parler. Seulement, deux semaines plus tard, il voulut se venger et décida de remettre le couteau sur la gorge du *dike*. Ce jour-là, quand il arriva à côté de l'animal en fumant sa pipe, on raconte que l'animal lui demanda s'il pouvait en fumer un peu. Pris de peur, l'homme rebroussa chemin pour aller raconter sa nouvelle mésaventure. C'est à ce moment que la vache lui lança : « Ils t'ont attaché pendant deux semaines et versé du sang de coq sur la tête juste parce que tu leur as dit que je parlais. Alors, imagine maintenant ce qui t'attend quand tu leur raconteras que je fume la pipe. » Depuis ce jour, le sorcier a renoncé à la boucherie bovine pour se consacrer à l'agriculture. Il est devenu ce qu'on appelle ici un végétarien.

Mon père, lui, ne tuait jamais de vache. Il le faisait faire par les autres. Par contre, une fois par année, il fallait castrer les jeunes bœufs pour éviter la pagaille des bagarres et de la compétition entre mâles dans le troupeau. Ce sont les périodes de ma vie de berger que j'ai détestées le plus. Mon père faisait la castration à froid et, comme on dit souvent chez moi, **la plaie du lépreux ne fait pas mal qu'à celui qui la regarde**. Quand la barre de fer atterrissait sur les organes d'un jeune mâle, toute la famille sursautait comme une tribu massaï qui danse. Tout le monde se mettait la main sur la zone sensible avant de faire un grand bond. Même les filles participaient à la danse. Pourtant, il existait des méthodes plus douces. Nos voisins, qui étaient des Maures, avaient une façon d'enlever et même de manger les testicules des bœufs pendant que le propriétaire mâchouillait tranquillement de l'herbe à côté. Mais mon père était conservateur, et il ne fallait surtout pas essayer de lui faire admettre que cette méthode qu'il avait héritée de son père était barbare.

Sa méthode de castration nous affectait tant qu'un jour mon frère s'éveilla en sursautant. Il avait rêvé que le patriarche l'obligeait à faire atterrir une barre de fer sur les bijoux de famille d'un jeune mâle belliqueux. Quand mon frère, tremblant de frousse, annonça à ma grand-mère qu'il avait fait un cauchemar, cette dernière, pour le réconforter, lui dit qu'il fallait toujours interpréter les cauchemars à l'envers, que les rôles étaient toujours inversés. Je n'ai pas besoin de vous dire que mon frère ne dormit pas du reste de la nuit.

**Ne te laisse pas lécher par quelque chose qui pourrait t'avaler.**

**La confiance s'est envolée depuis que l'eau a cuit le poisson.**

# Kognor et le serpent cracheur

Il y avait dans mon village un homme qui s'appelait Lamine et qui vivait seul avec son fils. Le fils de Lamine était surnommé Kognor, mais son vrai nom était Diouldé. On l'avait surnommé Kognor, qui signifie « le maigrichon », parce qu'il était vraiment chétif. À l'âge de seize ans, Kognor avait l'habitude de veiller dans la petite ville de Fatick. Il revenait se coucher, tard dans la nuit, dans un coin de la hutte qu'il partageait avec son père. L'autre coin de leur case était occupé par une poule qui couvait des œufs à l'époque où s'est passée l'histoire que je vais vous raconter.

Une nuit, pendant l'hivernage, Kognor, qui venait d'arriver de sa veillée, ouvrit comme d'habitude la case où dormait le vieux Lamine et se glissa dans son lit. Il commençait à ronfler quand son père, alerté par les caquetements de la poule, le réveilla en criant : « Kognor, debout ! Je pense qu'il y a un animal sauvage dans la case. Allume la lampe à pétrole. » Kognor, nerveux de nature, chercha à tâtons les allumettes, en priant pour ne pas mettre la main sur l'animal qui était subitement devenu leur locataire. Quand il trouva enfin la boîte, il alluma aussitôt la lampe au butane qui s'éteignit immédiatement, faute de carburant. Son père lui conseilla alors de prendre de la paille du toit de chaume et de l'allumer pour en faire une sorte de torche. Kognor arracha donc un gros bouquet, l'alluma et pointa sa lanterne improvisée vers le coin d'où venaient les plaintes de la poule. Ils aperçurent alors un gros serpent cracheur ; il venait de piquer la poule, qui lançait ses derniers cris.

– Éclaire le coin comme il faut, ordonna Lamine à Kognor. Je vais essayer de frapper le serpent avec la lance.

– D'accord, répondit Kognor d'une voix tremblotante.

Paralysé par la peur, Kognor souleva la torche et éclaira le coin jusqu'à ce que son père lui dise : « Il me semble que la case est trop bien éclairée... » En fait, concentré sur le danger, Kognor avait oublié que le toit était inflammable... Il avait mis le feu à la case. Son père s'empara d'une lance et frappa le serpent avant de défoncer la porte et de s'éloigner des flammes. Il annonça ensuite à son fils que la voie était libre, qu'il pouvait sortir. Seulement, Kognor, qui voyait encore le serpent bouger devant lui, refusa de passer par la porte. Il décida de sortir par la fenêtre. Il faisait de plus en plus chaud dans la case qui flambait. Il se glissa donc par la fenêtre, les jambes en premier. Mais, comme **la ruse finit toujours par manger son maître**, il resta coincé au niveau de la taille et se mit à hurler comme un possédé. Réveillés par les cris, tous les voisins, y compris notre famille, arrivèrent à la rescousse. Il fallut élargir la fenêtre et défaire une partie de la paillote pour retirer Kognor des flammes. Il s'en tira avec des brûlures à la taille et aux organes génitaux. Depuis ce jour, certains jeunes de mon village disent que Kognor est noir en haut et blanc en bas. On l'a alors renommé Demi-Blanc.

Un lion a beau être édenté,
sa tanière ne sera jamais
un lieu de repos pour une gazelle.

## La ruse finit toujours
## par manger son maître.

# M'biss et la chèvre espiègle

Ma grand-mère M'biss était une fanatique du jardinage et de la chasse. Elle mangeait tout ce qui avait une ombre et était capable de bouger.

Je me rappelle une année où les criquets migrateurs avaient ravagé toutes nos récoltes. Alors que la famine était aux portes du village, tout le monde s'était rassemblé autour de mon grand-père pour lui demander conseil. Dans mon village, on dit: « **Un vieillard assis voit plus loin qu'un jeune homme debout.** » Mais cette année-là, ce n'était pas mon grand-père qui avait la solution, mais ma grand-mère M'biss. Elle nous dit: « J'ai entendu dire que les criquets sont très nutritifs. Ils ont mangé nos récoltes, alors nous allons les manger et le problème sera réglé. » Comme la population refusait de croquer les insectes, mon grand-père se leva et leur dit: « M'biss a bien raison! Si vous vous laissez mourir de faim parce que vous ne voulez pas manger des insectes, c'est que vous avez des petites bêtes cachées quelque part et que vous ne le savez pas. » Un sage disait de M'biss qu'elle était tellement intelligente qu'un jour elle allait certainement nous dire où se cachaient les fesses d'un serpent. Ce qui n'est pas facile. La preuve: aujourd'hui, j'ai un doctorat en biologie et je les cherche encore!

M'biss n'était pas seulement connue dans le village comme une « diversivore », mais aussi comme une femme qui détestait voir une chèvre entrer dans son jardin ou rôder alentour. Elle passait beaucoup de temps à surveiller son lopin de terre et ne se gênait pas pour prévenir ainsi les voisins : « Si jamais je retrouve une de vos chèvres en train de bouffer ma récolte, je la laisserai finir son repas avant de la manger farcie aux légumes de mon jardin. » Seulement, quand M'biss commença à vieillir, elle ne put plus veiller sur sa plantation comme avant. **Tout vieux héros finit par décortiquer des arachides pour sa femme**, dit un proverbe africain. C'est à ce moment qu'une chèvre blanche très intelligente baptisée Mousse, ce qui signifie « la rusée », décida de passer à l'action. Elle profitait de tous les moments d'inattention de M'biss pour sauter rapidement dans le jardin et s'enfuir avec quelques bouchées. Ma grand-mère, qui ne pouvait plus la poursuivre, se contentait de lui lancer quelques injures. Ce qui était un mauvais signe, car **le bélier qui va foncer commence toujours par reculer**.

Un matin, ce qui devait arriver arriva. M'biss réussit à capturer Mousse avec un nœud coulissant soigneusement installé pendant la nuit. Et, pendant que la chèvre se débattait, elle la traîna par les pattes en lançant : « Tu vas voir qu'**un lion a beau être édenté, sa tanière ne sera jamais un lieu de repos pour une gazelle.** » Tout le monde pensa qu'elle allait tuer la chèvre, mais elle se contenta de l'attacher. Ensuite, elle se mit à piler quelque chose dans son mortier. Une fois la mystérieuse substance bien écrasée, elle souleva la queue de la chèvre et lui en enduisit le derrière. Ce jour-là, c'est en se frottant l'arrière-train sur tous les objets qu'elle croisa et en bêlant comme une possédée du diable que la chèvre s'enfonça dans les profondeurs reculées de la savane. Croyez-le ou non, M'biss avait diaboliquement enduit le derrière de la chèvre de piment fort. Et, pendant que toute la famille la regardait, horrifiée par ce qu'elle venait de faire, M'biss riait à gorge déployée en criant à la chèvre : « **Si la maison ne peut t'éduquer, la jungle finit toujours par s'en charger.** »

# Papa et les chats

Même si les chats ne sont pas très prisés chez les Sérères du Sénégal, ils prolifèrent quand même autour de nos maisons. Ils survivent en volant de la nourriture, surtout du poisson et du lait. Tant qu'ils s'acharnaient sur des squelettes de poisson, mon père ne se sentait pas dérangé. Cependant, il devenait fou quand un chat mettait son museau dans son bol de lait.

Un soir, alors que le patriarche se préparait à manger son couscous avec le lait qu'il venait de ramener de la traite, il remarqua du coin de l'œil une masse blanche juste à côté du précieux liquide. Il empoigna alors sa chaussure pour se débarrasser du félin indésirable. Il frappa si fort sur la masse blanche qu'elle décolla de terre et tomba dans la calebasse de lait. Pauvre papa ! Il avait frappé sur la deuxième chaussure, une babouche blanche comme l'autre. La chaussure infecte était retombée dans la calebasse de lait. Comme disait ma grand-mère, **le piège du pauvre finit toujours par attraper son chien**.

Pendant que le berger pleure son défunt âne ;
dans le ciel, les vautours dansent.

Le malheur des uns
fait le bonheur des autres.

# Tout ce qui a quatre pattes
# est mangeable

Chez les Sérères, qui sont des éleveurs de zébus, tuer une vache est impensable à moins que ce ne soit à l'occasion des funérailles d'une personne âgée. D'ailleurs, une tradition connue dans toute ma région veut que lorsque les vaches se mettent à courir sans raison, c'est qu'une vieille personne va mourir dans le village. Mon père disait que c'est la vache qui se retrouve à la queue du peloton qui est généralement sacrifiée pendant les funérailles.

Quand nous étions gamins, il nous arrivait de surveiller les vieillards pour voir s'il y en avait un qui semblait plus mal en point que les autres. Il nous arrivait même de commenter l'état de santé de tel ou tel autre vieux susceptible d'être le premier à emprunter le chemin du grand voyage. Vous allez me dire que c'est un peu sadique, mais dans notre tradition mais, les petits-fils ont le droit de se comporter de cette façon avec les personnes âgées. Les vieillards qui ont accompli leur mission parlent de la mort et blaguent à son sujet. Ils sont assurés de rejoindre le pays des ancêtres et peuvent donc danser avec la mort. Inévitable, **la mort frappe les hommes comme le vent secoue les arbres.** D'ailleurs, quand l'un de ces sages venait à mourir, le griot qui annonçait la nouvelle ne tarissait pas d'éloges. Il disait, à la manière d'Amadou Kourouma : « Tel le grand fleuve qui descend de la montagne et grossit avant de s'évanouir dans les sables jaunes du désert, une grande personne vient de disparaître. Son âme vient de s'envoler comme quand retentit le tonnerre, les oiseaux picorant dans les rizières. »

Parfois, on parlait ouvertement de la mort avec les vieillards et ils riaient en nous écoutant. Je me rappelle même un homme de mon village qui, un jour, nous avait dit : « Si vous comptez sur ma mort pour manger de la viande, je vous souhaite d'être patients. Je ne suis pas venu sur la Terre comme touriste. Je suis venu l'habiter. Si vous êtes la lame du couteau, j'en suis le manche. Et **la lame d'un couteau a beau être tranchante, elle ne peut lacérer le manche qui l'accompagne**. » Cependant, il ne fallait pas non plus exagérer avec ce type de blagues au point de blesser les aînés. En effet, **si l'on chouchoute un vieillard depuis l'aube et que, le soir, on le gronde, son seul souvenir sera peut-être d'avoir été torturé**.

Pour ne pas vexer les vieillards, on se rabattait sur des viandes moins prisées pour notre approvisionnement en protéines animales. Le rat était l'animal le plus populaire dans notre quête de mets carnés. Que voulez-vous ? **Pour éteindre un feu, on n'a pas besoin d'eau potable**. En général, c'est mon père qui attrapait les rats et nous les offrait en cadeau. Papa entreposait des arachides dans sa case et, la nuit venue, les rats entraient dans la pièce pour se gaver de graines. Et, quand papa réussissait à en tuer un ou deux, pour nous faire plaisir, il les plaçait devant notre chambre pendant la nuit pour que la surprise soit totale.

Certains matins, à notre réveil, on trouvait deux gros rats devant notre chambre.

Contrairement à tout ce que vous pouvez penser, la viande de rat est délicieuse. J'en ai mangé jusqu'à l'âge de quatroze ans. Je me suis même battu un jour avec mon cousin parce qu'il voulait avoir la tête de l'animal, qui était aussi mon morceau préféré. Pour préparer les rats, on commençait d'abord par les mettre dans une flamme pour se débarrasser des poils. Il suffisait ensuite de gratter la peau avec la lame de rasoir et d'éviscérer l'animal, puis la cuisson pouvait débuter. On les faisait généralement cuire avec du poivre et du sel avant de les déguster avec gourmandise. Certaines fois, on prenait le temps de les dépecer pour récupérer la peau qu'on utilisait pour fabriquer de petits tam-tams.

En dehors du rat, les animaux les plus faciles à chasser, qu'on mangeait très souvent, étaient les tortues. On les attrapait surtout en période de ponte. Au début, on ne savait pas comment faire pour leur sortir la tête de la carapace afin de les égorger. Alors, mon frère avait trouvé une technique des plus cruelles pour solutionner le problème. Il allumait un feu et nous demandait de nous mettre autour de la flamme avant d'y balancer les tortues. Nous devions ensuite les rattraper chaque fois qu'elles essayaient de s'échapper et les remettre dans le brasier. Ça nous a pris quelques mois de cette méthode impitoyable de cuisson avant de découvrir qu'il suffisait tout simplement d'insérer un objet dans le derrière de la tortue pour qu'elle sorte la tête. On mangeait du rat, de la tortue, mais aussi parfois du serpent.

Un matin, dans mon village, ma grand-mère demanda à mon frère d'aller vérifier si tout allait bien dans le poulailler. Quand mon frère ouvrit la porte du poulailler, il y trouva un boa de cinq mètres qui se tapait une petite sieste après avoir avalé toutes les poules. Alors, il revint en criant : « Grand-mère, on n'a plus de poules, mais on a un boa farci aux poulets ! » Je vous jure que je ne suis pas en train de vous *passer un palmier*. D'ailleurs, ce jour-là, ma grand-mère péta les plombs si fort que, pendant quelques secondes, elle devint presque un visage pâle. On passa trois jours à manger du serpent. Si vous voulez savoir, ça ne goûte pas le poulet. Je vous le dis parce que, je ne sais pas pour quelle raison, les Occidentaux ont tendance à croire que toutes les viandes exotiques goûtent le poulet. Pour ceux qui veulent savoir si le boa goûte le poulet, je dirai ceci : le boa ne goûte ni le poulet ni le bœuf. Un boa, ça ne goûte pas, ça avale tout rond… Ha, ha, ha !

On ne peut courir et se gratter
les fesses en même temps.

# Polygamie simultanée ou monogamie répétitive?

De toutes les pratiques culturelles de mon pays, celle qui intrigue le plus les Occidentaux est la polygamie. Chaque fois que j'ai annoncé à un Québécois que mon père avait quatre femmes, je me suis tellement fait questionner qu'il m'arrive de me demander si certains de mes interlocuteurs ne sont pas des espions d'une association qui tenterait d'introduire la polygamie dans les pays du Nord. La réaction la plus courante consiste à s'enfoncer la tête dans le sable et à manifester de la compassion et de l'inquiétude pour mon père, en lançant des propos du genre: « Quand tu as quatre femmes qui t'attendent à la maison avec des rouleaux à pâte, tu as intérêt à ne pas arriver en retard. Et je ne veux même pas imaginer l'enfer que ce doit être d'avoir quatre avocats qui te harcèlent en même temps pour ton divorce. » Eh bien, chers amis qui avez l'habitude de faire ce genre de remarques, c'est votre jour de chance! J'ai décidé de briser un secret plusieurs fois séculaire et de vous parler un peu de la polygamie.

Tout d'abord, je dois vous dire que le rouleau à pâte n'est pas une arme de destruction massive antipolygame parce que, dans mon village, nous n'en connaissons ni l'existence ni l'usage. Et, pour ce qui est des avocats, même si ça peut vous surprendre, pendant que les policiers vous conseillent de fermer votre bouche en leur absence, c'est avec grand plaisir qu'on ferme la bouche sur les nôtres, qui sont très juteux. Il est très rare que la demeure familiale soit l'objet d'une bataille judiciaire. En pays sérère, quand une femme veut partir avec la maison après son divorce, elle soulève sa hutte et s'en va.

Mais si divorcer est relativement facile pour un homme polygame, choisir sa partenaire chaque soir est une autre affaire, surtout pour les époux qui ont de la difficulté à respecter l'ancienneté. Avec ce type de mari, la syndicalisation reste la seule alternative pour les vieilles femmes qui veulent encore un peu de chaleur corporelle. Il arrive aussi que les plus vieilles femmes fassent appel au sorcier du village afin de tirer le maximum de jus du mari, quand elles ont la chance de l'avoir dans leur case. Les prescriptions du sorcier peuvent alors varier, allant d'extraits de plantes à des combinaisons d'épices et de substances de contrebande censées solidifier le ménage. Mais être la plus vieille femme d'un ménage polygame ne comporte pas que des inconvénients. Dans ma famille, grâce à ses neufs enfants, ma mère est surnommée l'actionnaire majoritaire. Et, puisque **celui qui est monté sur un éléphant n'est pas battu par la rosée**, elle jouit d'un respect total de la part des coépouses, qu'elles soient alliées ou ennemies.

Les alliances entre coépouses dans un ménage polygame se font selon une logique facile à comprendre. En général, la première et la deuxième femmes sont toujours ennemies, la première considérant la deuxième comme celle qui lui a volé les joies de la monogamie. De ce fait, quand arrive une troisième femme, la première la prend sous son aile pour faire payer sa dette à la deuxième. Il faudra donc à la deuxième attendre l'arrivée d'une quatrième pour se trouver une alliée. Une fois les blocs constitués, comme vous pouvez le deviner, dans certaines familles, la maison devient un terrain d'affrontement entre bandes rivales. Les épouses sont comme la meute de chats qui harcèlent inévitablement celui qui mène un troupeau de souris, et ces guerres sont le quotidien des collectionneurs d'épouses. Le mari doit rester insensible devant les batailles et, surtout, éviter de jouer à l'arbitre. En pays sérère, le rôle d'un époux polygame consiste à faire des enfants pour le renouvellement continuel de son équipe d'ouvriers agricoles.

Entre les enfants de la mère et ceux de la coépouse, il y a une grande différence. Ces derniers sont appelés demi-frères ou demi-sœurs. Donc, mathématiquement, il faudrait deux demi-frères ou demi-sœurs pour obtenir un vrai frère ou une vraie sœur. Pourtant, ce n'est pas toujours le cas. En général, les enfants se rangent du côté de leur mère et peuvent devenir des combattants redoutables. Traditionnellement, ils sont plus proches de leur oncle que de leur propre père. En effet, chez les Sérères, on n'hérite pas de son père, mais de son oncle. Et la raison de cette particularité est assez simple : étant donné que le papa collectionne les femmes, aucune de ses épouses ne met en commun ses avoirs avec lui, de peur qu'il ne les utilise comme dot pour ramener une compétitrice. Les femmes confient argent et bétail à leur frère, et les enfants doivent alors hériter de leur oncle pour récupérer les investissements de leur mère.

De nos jours, les jeunes sont de plus en plus monogames. Pas seulement parce qu'ils ne croient plus à la pratique de la polygamie, mais parce qu'il sont découragés par ses coûts exorbitants. Si un système de paiement de la dot en trois ans sans intérêt n'est pas instauré prochainement, la polygamie est condamnée à disparaître. Et même si un tel système existait, ce serait quand même mal vu pour une famille de dire à un prétendant que leur fille est sans intérêt. Ce qui veut dire que, dans quelques décennies, la polygamie simultanée de nos ancêtres sera progressivement remplacée par celle qu'on pratique en Occident et au Québec, cette forme de polygamie que certains appellent la monogamie à répétition ou la polygamie « une à la suite de l'autre ».

Au Québec, même si les gens pratiquent leur propre forme de polygamie, ils fantasment quand même sur la polygamie simultanée. Sinon, comment expliquer que, depuis que j'habite dans cette Belle Province, je me sois fait si souvent dire : « Va dans telle ou telle autre ville, il y a trois ou quatre filles pour un gars. » J'ai même eu un ami malien qui voulait quitter Montréal pour Québec, laquelle détenait le record, prétendait-il, avec dix filles pour un gars ! Il a fallu que je lui explique que le gars en question s'appelait le Bonhomme Carnaval et qu'il ne tenait pas à partager ses duchesses avec un immigrant.

En vérité, même si l'homme québécois fantasme sur la polygamie, deux raisons l'empêchent de faire le grand saut. D'abord, avec quatre femmes chez lui, quand viendra le temps de divorcer, ce n'est pas un procès qui l'attendra, mais un recours collectif. Ensuite, avec plus de quatre femmes, il y a de fortes chances qu'un syndicat se crée dans sa maison. Et quand les syndicats s'en mêlent, fini les escapades avec la petite dernière : il faut respecter l'ancienneté.

Personnellement, ça ne me dérange pas que les Québécois soient des monogames à répétition ou des polygames successifs, mais, s'il vous plaît, arrêtez de dire que vous pratiquez la polygamie au noir.

Si tu vois un singe en bas d'un arbre,
de deux choses l'une : il vient juste de
descendre, ou alors, il se prépare à monter.

# Quand le proverbe devient
# une arme de guerre

Au sein de la plupart des ethnies de l'Afrique de l'Ouest, le sexe est tabou. On se contente de le pratiquer sans en discuter. Les seules fois où j'ai entendu parler de sexualité, c'était pendant mon initiation. Pourtant, en pays polygame, l'éducation sexuelle devrait occuper une place importante dans l'éducation des enfants. Il y a tout de même du danger à se marier avec quatre femmes sans avoir un minimum d'expérience !

Le plus surprenant, c'est qu'un jour, alors que je discutais de ce sujet avec mon ami Didier, qui vient d'un village du Zaïre, j'ai réalisé toute la véracité du proverbe africain qui dit : **Tant qu'on n'a pas rencontré un homme sans jambes, on peut se plaindre de la qualité de ses souliers.** Mon ami m'a raconté que, dans son village, au fond de la forêt zaïroise, parler de sexe est plus prohibé que partout ailleurs dans le monde. Un jour, m'a-t-il expliqué, des volontaires américains sont venus dans son village pour parler du condom. Comme le chef du village avait pris soin de leur interdire toute forme d'exhibition, les éducateurs trouvèrent une stratégie autre que les pénis en plastique qu'ils traînaient dans leurs bagages. Ils sortirent des balais et enfilèrent les condoms sur les manches pour expliquer aux gens comment il fallait les utiliser. Ce n'était pas la meilleure stratégie à utiliser, dans un village où tout le monde craint la sorcellerie. Quand les gens virent les balais, c'est à cela qu'ils pensèrent tout de suite. Or, pour éloigner les sorciers, il faut généralement disposer des talismans sur les cases. Pas surprenant donc que, le soir de la grande éducation, on put voir se balancer des manches de balais coiffés de caoutchouc sur certaines cases. La furie des mauvais sorciers mise à l'écart, les gens s'adonnaient à ce qu'ils savaient faire de mieux : des enfants.

Didier m'a également raconté que, dans un autre village, les éducateurs sexuels avaient utilisé le pouce pour enfiler le condom. Dans ce village, pendant plusieurs mois, un initié portait son condom sur le doigt quand venait le moment de faire la chose. Vous pensez peut-être que cette histoire est une légende urbaine, mais quand je regarde ce qui se passait dans ma propre famille, je peux vous assurer qu'elle est plus que probable.

La seule personne qui prenait le risque de parler de sexe dans ma famille, c'était mon grand-père. Je vous rappelle qu'il avait quatre femmes. Donc, il savait très bien de quoi il parlait. Par contre, il n'utilisait jamais le mot « sexe ». Tout son discours était très imagé. Il disait souvent : « Les enfants, le problème quand vient le temps de se marier, c'est que, devant l'embarras du choix, la plupart des gens font le choix de l'embarras. Si vous voulez avoir la paix, ne prenez pas le premier sujet qui se présente, attendez plutôt de trouver un complément. L'homme et la femme sont comme un système de clés et de serrures.

**Un coq ne sépare pas
une bagarre de couteaux.**

Tant que vous n'avez pas trouvé la bonne clé pour la bonne serrure, et vice-versa, ça ne marchera pas. À chaque clé sa serrure, et inversement.»

Toute ma jeunesse, mon grand-père nous a servi sa philosophie des clés. Un jour, j'ai rendu visite à ma famille au Sénégal et j'ai entendu mon frère dire à mon grand-père :

– Grand-père, ça fait des années que tu nous sers ta philosophie des clés. Si je comprends bien, ce que tu essaies de nous faire comprendre, c'est que, dans cette famille, il n'y a qu'un seul passe-partout et c'est toi qui l'as eu !

– Et en plus du passe-partout, ajoutai-je, tu as aussi mis la main sur la clé des champs. Avec le passe-partout, la clé des champs et la clé du bonheur, on peut vraiment dire que tu n'es pas barré !

Le jour où sa plus jeune femme est partie avec son amant, mon frère s'est fait une joie de lui dire : «Alors, papy, maintenant tu comprends pourquoi, quand tu achètes un cadenas, il vient toujours avec deux clés.»

Quand mon grand-père a entrepris de fréquenter celle qui allait devenir sa plus jeune femme, la fille avait trente-cinq ans et lui en avait soixante-dix. Ma grand-mère a fait une sorte de crise de jalousie et a décidé de faire ce que les Américains appellent une frappe préventive. Un jour, elle a demandé à mon grand-père ce qu'il y avait entre lui et la jeune fille. Mon grand-père lui a répondu :

– Rien encore !

C'est ce jour-là que j'ai assisté à la plus rude bataille de proverbes de ma vie. Ma grand-mère a frappé la première :

– Rien? Arrête de raconter des histoires. **Si tu vois un singe en bas d'un arbre, de deux choses l'une : il vient juste de descendre, ou alors, il se prépare à monter.** Elle ne restera pas longtemps. Elle est juste venue pour ton argent.

– Qu'est-ce que tu en sais? demanda mon grand-père.

– Qu'est-ce que j'en sais? **L'œil ne porte pas de charge, mais il sait reconnaître ce que la tête est capable de supporter.** Si l'argent poussait au sommet des arbres, cette jeune fille n'hésiterait pas une minute à épouser un singe. En plus, à soixante-dix ans, qu'est-ce que tu vas faire avec une jeune fille de trente-cinq ans?

– N'oublie pas, ma femme, que le lion est mon totem. Et, **un lion a beau être édenté, sa tanière ne sera jamais un lieu de repos pour une gazelle.**

C'est là que ma grand-mère a sorti ce que les Américains appellent des armes de destruction massive :

– Bonne chance, mon cher lion! Mais n'oublie pas qu'**il faut vraiment faire confiance à son anus avant d'avaler une noix de coco.** Je te rappelle aussi, mon cher époux, que la galipette, c'est un jeu qui peut se jouer à deux.

– À deux? Ne me dis pas, ma femme, qu'à soixante-cinq ans, tu t'intéresses encore aux garçons?

– **L'oiseau aussi transpire, c'est seulement son plumage qui cache sa sueur.**

– Dans tous les cas, je suis un vieux barbu et je pense avoir suffisamment de sagesse pour juger de ce qui est bien pour moi, poursuivit grand-papa.

– **Si la barbe était signe de sagesse, le bouc serait le roi de la planète**, le relança grand-maman.

– J'aimerais mieux t'avoir muette que de t'entendre me traiter de la sorte, ma femme.

– Sache, mon mari, qu'**un arbre fruitier ne tombe pas à la volonté d'une chèvre affamée qui convoite ses fruits.** La prochaine fois que tu voudras déclarer une guerre de proverbes, je te conseille de choisir un adversaire à ta taille car, **à la danse du cul, le lièvre et l'éléphant ne peuvent pas être partenaires.**

Depuis sa défaite, mon grand-père a cessé de jouer à ce que les Américains appellent l'axe du mal. Et, quand mes grands-parents entraient en guerre, mon père nous disait toujours : « Les enfants, ne vous mêlez pas de ça : **un coq ne sépare pas une bagarre de couteaux.** »

**Si la barbe était signe de sagesse,
le bouc serait le roi de la planète.**

# Qui a dit que
# les Blancs étaient blancs?

À l'âge de quatorze ans, ma jeune sœur a fait un voyage en France avec une troupe de danse traditionnelle du Sénégal. C'était la première fois qu'un membre de la famille Diouf prenait l'avion et visitait un pays froid. De retour de son voyage, elle était intarissable sur la France, ses technologies, ses vaches qui produisaient tellement de lait qu'elles pourraient alimenter la fameuse rivière de lait qui traverse le paradis tel que décrit dans la religion musulmane. Mais elle parlait surtout de Brunet, un vieux Français qui l'avait hébergée pendant son voyage et qui avait rempli ses sacs de fripes pour toute la famille. Ma sœur avait rapporté des pantalons et toutes sortes de vêtements, mais la plupart étaient trop grands pour les Sahéliens mal nourris que nous étions. Je me rappelle mon frère Mados qui, après avoir exhibé un pantalon, avait lancé: «Si quelqu'un du village est suffisamment gros pour remplir ce truc, je ne me gênerai pas pour lui demander qui il a mangé.»

Non seulement ma sœur parlait-elle souvent de Brunet, mais elle recevait aussi des lettres de lui depuis son retour. Un jour, alors que toute la famille était réunie sous l'arbre à palabres, ma sœur, une lettre à la main, annonça la grande nouvelle : « Brunet arrive au village dans une semaine. » En l'espace de quelques minutes, l'information avait fait le tour de la région et une réunion d'urgence fut convoquée par ma mère. « Il faudrait acheter, dit-elle, des fourchettes, une assiette et un couteau de table, sans oublier une chaise et une table de cuisine pour qu'il se sente à l'aise. » La question de la visite du Français était sur toutes les lèvres. En plus de se demander ce que mangeaient les Blancs, on voulait savoir s'ils pouvaient dormir dans une case et s'éclairer à la lampe au butane. L'arrivée de Brunet dans le village était plus populaire que la dernière cérémonie de circoncision célébrée dans la grande famille Diouf.

Quand il se présenta enfin, tout le monde voulut lui toucher le corps ou lui mettre les mains dans les cheveux. Lui rêvait de visiter la savane, de dormir sous un baobab et de travailler dans un champ d'arachides. Le lendemain de son arrivée, trois heures dans les champs suffirent pour transformer le vieux Blanc en Peau-Rouge. Certains des patriarches du village pensèrent même qu'il était possédé par l'esprit d'un caméléon. Pendant deux semaines, Brunet déambula dans notre maison, et la famille éloignée arriva des villages voisins pour voir le Blanc. Il se promena torse nu de jour comme de nuit, malgré les avertissements de mon frère Mados qui lui conseillait souvent de **ne pas se laisser lécher par quelque chose qui pourrait l'avaler.** « Si tu continues de te promener tout nu, lui disait-il, tu risques d'attraper le paludisme. »

Comme **la crânerie finit toujours par vous tomber dessus**, un matin, on retrouva Brunet gémissant et transpirant de fièvre sur son lit. Il avait attrapé le paludisme et avait encore changé de couleur.

– Il faut le renvoyer dans son pays avant qu'il nous en fasse voir de toutes les couleurs, lança mon frère Mados, qui était un as du sarcasme.

– Si un Blanc meurt dans ce village, on risque d'avoir des problèmes avec l'ambassade de France, ajouta ma grand-mère.

Alors, il fallut amener Brunet rapidement dans la petite ville de Fatick pour le faire examiner par cette infirmière qu'on avait surnommée « Madame Aspirine » à cause de la confiance inébranlable

**Le soleil n'a jamais arrêter de briller**
**au-dessus d'un village parce qu'il est petit.**

qu'elle avait en cette pilule blanche. Elle soignait tout avec de l'aspirine et répétait la même salade à tous les patients : « Tu prendras deux comprimés le matin et deux le soir, et si ta situation n'évolue pas, tu reviendras me voir. Dans le cas contraire, je me dégage de toute responsabilité. » Sur le chemin de l'hôpital, Brunet, qui découvrait les joies du paludisme, finit par vomir sur le cheval qui le transportait. Quand Madame Aspirine vit arriver la moitié du clan des Diouf avec le Blanc, la panique s'empara d'elle.

— Qu'est-ce qui est arrivé à ce Blanc ? demanda-t-elle.

— Il a attrapé le paludisme et a changé de couleur, répondit mon frère Mados.

— Désolée, mais je n'ai jamais soigné les changements de couleur. Par contre, pour le paludisme, vous connaissez la recette : deux comprimés le matin et deux le soir, et si sa situation n'évolue pas, vous revenez me voir. Dans le cas contraire, je me dégage de toute responsabilité.

De retour à la maison, un conseil de sages fut convoqué et on décida d'avancer la date de départ de Brunet. Deux jours plus tard, mon frère l'accompagna à la capitale. Brunet y retrouva des compatriotes qui l'aidèrent à retourner dans son pays. De retour chez lui, il envoya une lettre dans laquelle il annonçait à la famille qu'il avait passé chez nous ses plus belles vacances. À la fin de la lecture de la lettre, mon père lança : « Après avoir avalé un piment fort qu'il avait confondu avec une tomate, attrapé le paludisme et vomi sur mon cheval, il trouve encore que ces quinze jours étaient les plus beaux de sa vie... Je pense que je ne veux plus visiter la France. »

# Le rythme dans le sang

Cette histoire m'a été racontée par un des amis de mon grand-père qui s'appelait le Gandiol, un Sérère originaire de la région du Saloum, voisine immédiate de la Gambie. Un jour, alors que j'essayais de taper sur un tam-tam que mon ami et moi avions fabriqué avec une peau de rat, Gandiol s'est approché de moi et m'a parlé de Johnny, un des premiers Blancs qu'il avait rencontrés qui parlaient le sérère sans accent.

Ce jour-là, il y avait un grand rassemblement dans son village parce que le chef avait convoqué la population pour les palabres du début d'hivernage. Comme le voulait la coutume, il fallait discuter des offrandes à faire aux ancêtres pour s'attirer les faveurs de la nature et remplir les greniers à la fin des récoltes. Vers trois heures de l'après-midi, pendant que les palabres battaient leur plein, on vit arriver un homme blanc qui portait un chapeau de paille, un sac à dos et des jumelles. Parvenu près de la foule, l'homme salua les Sérères avant de prendre la parole sans la demander. Il raconta qu'il s'appelait Johnny, qu'il était explorateur et anthropologue, spécialiste des mœurs de certaines populations nègres du bas Niger, qu'il connaissait l'Afrique d'est en ouest et du nord au sud, qu'il avait traversé des pays où les gens vivaient dans l'abondance, franchi des fleuves à dos d'hippopotame et survécu dans des conditions où même un indigène n'aurait pu tenir plus de quelques jours. Johnny raconta aussi qu'il avait observé, dans un recoin inaccessible du continent noir, les comportements de nègres indigènes qui étaient différents, mais vraiment différents des autres nègres ! Dans cette tribu, quand les filles étaient jeunes, on les gavait de ragoût de pattes d'éléphant, un mets très riche en gras. Résultat : quand elles atteignaient l'âge de se marier, les jeunes filles étaient tellement grosses qu'elles pouvaient poser leurs deux fesses sur deux villages différents. Les jeunes garçons, par contre, n'étaient presque pas nourris et, à la puberté, ils étaient tout chétifs. Tellement chétifs qu'ils pouvaient dormir à l'ombre de leur épouse. Le couple, dans cette tribu, ressemblait au mâle et à la femelle araignée. C'est pour cette raison qu'on les appelait les « hommes araignées ». Johnny avait étudié la biologie et savait que cette pratique avait permis à ce peuple de nomades de survivre dans un environnement aussi hostile que ces zones arides du nord du Sahel. En effet, étant donné qu'il n'y avait pas beaucoup de matériaux de construction pour bâtir et rebâtir sans cesse la hutte familiale, l'homme se contentait tout simplement de dormir à l'ombre de sa femme quand le soleil était au zénith.

Quand Johnny l'explorateur se mit à raconter ses aventures, la population fut tellement impressionnée qu'elle oublia les palabres du début d'hivernage. L'étranger était intarissable et, tel **le rat qui s'impose à la famille comme**

**le sourcil s'impose à l'œil**, il ne remarqua pas que le chef avait le bras levé vers le ciel pour lui demander de se taire. Pour le ramener à l'ordre, il fallut qu'un grand-père lui dise : « Étranger, on ne peut juger de la pertinence de tes propos parce qu'on est dans ce village comme des chèvres. Depuis des générations, nous broutons à l'endroit où nous sommes attachés. Nos ancêtres disaient que, **dans les villages qu'on ne connaît pas, les poules peuvent bien avoir des dents**. Mais ils disaient aussi que **même avec un mois d'avance, le mensonge pouvait se faire rattraper par la vérité en une journée**. »

Quand les palabres reprirent, Johnny s'empara d'un tam-tam sans en demander l'autorisation et se mit à en jouer. Or, c'était précisément ce qu'il ne fallait pas faire dans une occasion comme celle-là. En pays sérère, ne joue pas du tam-tam qui veut ! Le tam-tam est un instrument divin, et sa sonorité affecte aussi bien les humains et les animaux que les esprits de la forêt. C'est d'ailleurs la raison pour laquelle seul un grand griot expérimenté peut jouer durant un rassemblement important comme celui de ces palabres. Et ça, Johnny ne le savait pas. Il tenait à montrer aux gens du village que le rythme n'avait pas de couleur. Que sous sa peau blanche comme le coton de fin d'hivernage coulait un sang chaud. Un sang qui bouillonnait et débordait de rythme.

Quand, sans avertir, il frappa le tam-tam, le caressa de haut en bas et tourna sur lui-même avec l'instrument, le Fara, grand chef des griots, lui ordonna de s'arrêter immédiatement, ce que n'importe quel joueur de tam-tam averti aurait fait. À cette époque, en pays sérère, quand un Fara prenait la parole sous un arbre à palabres, même les cigales arrêtaient de chanter dans les buissons pour l'écouter. Johnny, cependant, continua de frapper le tam-tam jusqu'à ce que la panique s'empare de tous les spectateurs. La catastrophe était proche et les signes annonciateurs se faisaient de plus en plus sentir. Les chiens furent affectés les premiers. Dès le premier son, ils lâchèrent des aboiements d'enfer avant de se réfugier dans l'inexploré de la brousse, derrière les termitières. Le soleil, à son tour, se cacha immédiatement derrière un rideau de nuages. Finalement, rapaces et vautours se détachèrent de la cime des grands arbres et lancèrent à l'assemblée de sinistres avertissements avant d'escalader les nuages. Mais quand les hyènes se mirent à crier en plein jour, on réalisa que la catastrophe était plus colossale qu'on l'imaginait. Johnny avait perturbé le cosmos avec sa salade rythmique, et l'enchaînement des signes annonciateurs devait être endigué. Aussi, le chef lui ordonna-t-il de nouveau de s'arrêter et demanda à un vieux griot de jouer un rythme initiatique pour ramener l'ordre dans l'univers.

Quand le griot eut caressé l'instrument pendant quinze minutes, les chiens revinrent au galop, les charognards quittèrent le profond lustré du ciel et se posèrent de nouveau sur les fromagers. Le soleil fracassa le fond des nuages et laissa tomber ses rayons sur la foule. Le désordre cosmique canalisé, les palabres purent recommencer. Quand le Fara reprit la parole, Johnny se tenait debout au milieu du cercle. Il s'était fait éclater une veine et le sang avait recouvert la peau

du tam-tam sur toute sa largeur. Avant de reprendre les palabres, le Fara se tourna vers Johnny et
lui dit en riant : «Étranger, c'est vrai que vous
avez le rythme dans le sang. Ce que vous ignorez,
par contre, c'est que le rythme, nous l'apprenons.
Quand j'étais tout petit, ma mère me portait sur
son dos et dansait comme une possédée. Lorsque
c'est la troisième fois que vous vomissez, croyez-en
mon expérience, vous vous arrangez pour suivre
le rythme. Dans ce pays, les mamans dansent au
rythme du tam-tam et les bébés sont malades au
rythme des mamans.»

«Mais ça, Johnny ne le savait pas», me lança
le vieux Gandiol avant de continuer son chemin
avec son âne qu'il allait abreuver au puits.

Quiconque sera plus fort que toi de la langue
t'achètera pour un chien s'il veut.

# Le taxi-brousse

Mon ami Patrice est venu un jour me voir pour me demander des conseils. Il se préparait à partir en voyage dans un petit village du Sénégal et voulait connaître les choses à faire et surtout à ne pas faire. Aussi surprenant que cela puisse paraître, je lui ai recommandé de toujours garder le silence dans les transports en commun, mieux connus sous le nom de taxis-brousse. Et comme il ne savait pas ce qu'était un taxi-brousse, il fallait commencer par le commencement, car la sagesse africaine nous apprend que **quand on donne un singe, on ne doit pas retenir la queue.** « Un taxi-brousse, lui expliquai-je, c'est généralement une voiture qui est née en France, a grandi et vieilli en France, mais quand son corps commence à se décomposer sous le poids de l'âge, on l'envoie mourir en Afrique pour éviter d'avoir à payer pour ses funérailles. Quand la vieille carcasse arrive par bateau dans un port du continent noir, les mécaniciens africains, qu'on surnomme les "sorciers de la tôle", prolongent sa durée de vie de dix ans grâce à des méthodes de bricolage ingénieuses qui se transmettent de père en fils. »

Si vous arrivez dans une station pour prendre un taxi-brousse, la séquence des événements est toujours la même. D'abord, on demande à tous les voyageurs, y compris les cochons, les poules et les chèvres, de monter dans le taxi-brousse.

Et, une fois la voiture pleine, on demande aux humains de descendre pour pousser parce qu'un taxi-brousse ne démarre jamais seul. Après le démarrage, tous les pousseurs doivent courir afin de rattraper la voiture et de sauter dedans. Installés dans le taxi-brousse, les voyageurs les plus chanceux auront des humains comme voisins et pourront de temps à autre parler de la pluie et du beau temps. Toutefois, les moins chanceux se retrouveront coincés entre un cochon et une chèvre et auront à se débattre pendant toute la durée du trajet pour empêcher les animaux affamés de mâchouiller leurs vêtements.

Dans certains pays comme le Malawi, les taxis-brousse n'ont pas de capacité limite. La quantité de voyageurs qui peuvent y entrer dépend uniquement de la force et de l'expérience des gros bras qui sont engagés pour compacter les clients. Certains les appellent des apprentis, d'autres, des casse-côtes. Cependant, que l'on voyage dans un petit ou dans un gros taxi-brousse, après le départ de la voiture, les règles à respecter sont toujours les mêmes. Quelques minutes après le démarrage, c'est la phase appelée « haute tension ». Pendant cette phase, les cris des bébés se mélangent aux salutations des voyageurs et aux martèlements de la carrosserie par les animaux installés sur le toit, plongeant le taxi-brousse dans un brouhaha assourdissant. Trente minutes après la haute tension, c'est la phase « silence de mort », qui s'explique assez facilement. Généralement, les tronçons d'asphalte près des villes sont bien entretenus… afin de rassurer les touristes. Mais une fois à l'extérieur de la ville, il y a tellement de nids-de-poule sur la route que le chauffeur n'a même pas l'idée d'essayer de les éviter. Il choisit les moins gros et y engage spontanément son taxi-brousse. Alors, dès que le chauffeur arrive dans ces endroits où les autruches pondent, les moutons arrêtent de bêler, les cochons cessent de grogner et les voyageurs expérimentés baissent la tête et gardent le silence. À ce stade, tous ceux qui continuent de jacasser sont des touristes. Et, après quelques minutes, ils se mordent la langue, se cognent la tête au plafond et serrent les dents comme tout le monde. Voilà pourquoi j'ai demandé à mon ami Patrice, un homme plutôt bavard, de s'habituer à se taire avant de monter dans les taxis-brousse qui sillonnent les villages du Sénégal.

**À la danse du cul, le lièvre et l'éléphant
ne peuvent pas être partenaires.**

# Pas facile de parler « africain »

Certains des mots qui composent les langues africaines sont particulièrement difficiles à faire prononcer à un Occidental. Pourtant, je recommanderai à qui veut aller dans mon coin de pays d'apprendre quelques phrases de sérère. Les gens de ma région et de l'Afrique en général adorent écouter un Blanc s'efforcer de parler leur dialecte.

Alors que j'habitais au Malawi, un coopérant ontarien m'a raconté une histoire qui m'a beaucoup fait rire. Il m'a parlé de son ami Frank qui, avant de venir au Malawi, avait pris le temps d'apprendre quelques phrases en thithiéwa, le dialecte le plus répandu au pays. Il avait entre autres appris à demander où étaient les latrines, ce qui pouvait être pratique parce qu'à cette époque, l'ennemi du coopérant s'appelait la diarrhée. Un jour, alors que Frank voyageait tranquillement en taxi-brousse, ce qui devait arriver arriva. Après avoir fait arrêter la voiture dans un petit village, il en sortit en trombe, se trémoussant et demandant aux habitants : « Pouvez-vous me dire où se trouvent les *mbouzis*? » À sa grande surprise, les gens le regardèrent avec mépris avant de s'éloigner en marmonnant quelques mots. Heureusement, après quelques minutes passées à demander où se trouvaient les *mbouzis*, Frank vit venir vers lui un jeune homme qui l'interpella en anglais :

— Que cherchez-vous, monsieur ?

— Je cherche des toilettes, murmura Frank.

— Dans ce cas, vous ne devez pas demander des *mbouzis,* mais des *chimbouzis.*

— Et pourquoi les gens me regardent-ils de façon bizarre ?

— Comment réagiriez-vous si quelqu'un se trémoussait devant vous en vous demandant où il pourrait trouver une chèvre ? Si vous voulez parler le thithiéwa, il faut que vous appreniez à bien prononcer les mots.

Depuis ce jour, chaque fois que quelqu'un me parle de prendre des cours de dialecte africain, je lui recommande toujours de s'exercer à bien prononcer, car **une langue qui fourche peut parfois faire plus mal qu'un pied qui trébuche**.

Quelques mois après l'histoire de Frank, c'était au tour de Yan, un autre coopérant canadien que je connaissais, de se retrouver dans l'embarras. Yan était un petit blond macho aux cheveux frisés et aux yeux bleus. Il contrastait beaucoup plus avec la population locale que les autres coopérants. Et comme si ça ne suffisait pas, la plupart des gens, qui n'étaient pas habitués à voir des Blancs, le prenaient pour une fille. Si bien que, la première fois qu'il a salué ses étudiants en classe, certains ont répondu : « Bonjour, madame ! » Ce jour-là, il est revenu à la maison complètement démoli. Et quand il m'en a parlé, j'étais content de voir que le macho qu'il était allait devenir bientôt une victime.

Le jour où c'est arrivé, je l'avais invité à prendre une bière dans une discothèque mal famée de la ville de Zomba. On venait juste d'arriver quand un jeune Malawien que je connaissais un peu est venu me voir pour me demander, en désignant Yan, s'il pouvait danser avec ma copine. Je lui ai répondu : « Je te donne ma bénédiction, mais fais attention, car elle est très cochonne. » Après quelques tentatives, le jeune homme est revenu me voir pour m'annoncer que ma copine ne voulait pas danser avec lui. Je lui ai expliqué : « C'est parce qu'elle vient du Canada. Et dans son pays, l'homme doit s'agenouiller devant la femme et lui poser les mains sur les joues pour l'inviter à danser. Tu devrais retourner la voir et essayer. Elle va te tomber dans les bras. » Comme la suite de cette histoire est moins drôle, je ne vous la raconterai pas !

Quand la malchance t'habite,
même une mouche peut tuer ta vache
d'un coup de patte.

# La chasse aux touristes
# est ouverte

Les touristes en provenance des pays du Nord sont pour les gens du Sud une sorte de manne qu'il faut exploiter sans pitié. Dans un pays comme le Sénégal, les jeunes sont toujours à la recherche de nouvelles stratégies pour soutirer quelques devises à l'*homo touristus*. Parfois, les techniques d'approche et d'arnaque sont tellement bien rodées que même les nationaux comme moi qui ne retournent pas souvent au pays se font avoir. Les pièges les plus extraordinaires se trament parfois avec la complicité des guides touristiques supposés protéger les touristes.

Un jour, en plein centre-ville de Dakar, j'ai assisté à une scène qui m'a fait beaucoup rire. Un touriste français marchait tranquillement quand un jeune vendeur de réveille-matin essayant de lui fourguer de la pacotille fabriquée en Chine l'aborda. Pour convaincre son client potentiel, le jeune vendeur avait mis la sonnerie en marche et placé le réveil à la hauteur des oreilles du touriste, histoire de lui montrer que le mécanisme était en bonne condition. Ensuite, dans un français « wolofisé », il lui demanda :

– Monsieur, est-ce que toi acheter réveil ?

— Non, je ne suis pas venu au Sénégal pour acheter de la pacotille fabriquée en Chine, répondit le Français.

Le jeune homme lui emboîta le pas en lui répétant :

— Monsieur, est-ce que toi acheter réveil ?

— Je ne veux pas de ta pacotille, rétorqua de nouveau le touriste qui commençait à se fâcher.

— Ne te fâche pas, patron, lui lança un autre vendeur. **Tout ce que la colère rapporte à l'homme, c'est de le rapprocher du singe.**

Après une dizaine de minutes de harcèlement ininterrompu, le touriste, qui ne pouvait plus supporter la sonnerie du réveil, finit par sortir son portefeuille. Il acheta l'objet sonnant à gros prix… avant de le poser sur la chaussée et de sauter dessus à pieds joints. Après quoi, il se tourna vers le vendeur et lui dit : « Tu vois, je t'avais bien dit que je ne voulais pas de réveil ! »

Quand il se retourna pour continuer son chemin, devant lui se tenait un autre vendeur de réveils qui lui proposait, à travers quelques bip ! bip ! : « Toi avoir échappé ton réveil par terre ? Moi pouvoir vendre toi autre réveil à bon prix. » Le touriste contourna le deuxième vendeur et poursuivit son chemin. Un coin de rue plus loin, notre touriste blanc, qui se croyait loin des emmerdeurs, entra en collision avec un jeune homme qui tenait un récipient en plastique entre ses mains. Sous l'effet du choc, le jeune garçon laissa tomber une série de bouteilles qui se fracassèrent sur la chaussée et laissèrent s'écouler des liquides colorés. Et puis, dans une mise en scène digne des grandes pièces de théâtre, le jeune se mit à verser des larmes de crocodile en se lamentant: «Qu'est-ce que j'ai fait à Dieu pour qu'il me punisse de la sorte? Où vais-je maintenant trouver de l'argent pour racheter ces médicaments à ma grand-mère mourante? Sa seule chance de survie vient de s'envoler avec la perte de ces médicaments que je venais d'acheter avec les économies de toute ma famille.» Rongé par la culpabilité, le touriste sortit de nouveau son portefeuille et donna au jeune homme quelques dizaines d'euros pour qu'il puisse racheter des médicaments pour sa grand-mère. Le jeune homme et ses acolytes, qui le rejoignirent aussitôt, louèrent sa générosité et sa compassion. Ensuite, ils marchèrent vers les rabatteurs qui jouaient aux vendeurs de réveils et de montres, puis partagèrent la cagnotte avant de changer de rue pour se remettre au travail. **Quand le chat et la souris vivent en harmonie, ce sont les provisions qui en souffrent.**

L'oiseau aussi transpire,
c'est seulement son plumage
qui cache sa sueur.

# Les téléphones portables
## de savane

Le téléphone portable est devenu tellement populaire au Sénégal que les cireurs de chaussures en ont un à côté de leurs brosses. Même mon cousin qui ne sait ni lire ni écrire m'a demandé un jour de lui acheter un portable. Comme si on pouvait recharger une pile de téléphone avec l'énergie provenant de la combustion de bouse de vache... La vérité, c'est que mon cousin savait mieux que moi qu'il lui serait impossible de faire fonctionner l'appareil dans la brousse. Ce qu'il voulait, c'était faire comme la plupart des gens : se vanter d'être à la fine pointe de la technologie. L'important, dans beaucoup de pays du tiers-monde, ce n'est pas de se promener avec un téléphone cellulaire qui fonctionne, mais d'en avoir tout simplement un à portée de main. Et de simuler de temps en temps un appel d'urgence, de préférence dans un transport en commun pour être certain d'attirer l'attention des gens autour de soi.

Je me rappelle de cet homme qui, dans le bus qui nous menait à Pikine, une banlieue populeuse de Dakar, avait décidé de téléphoner à sa femme. Il semblait guidé par un besoin urgent. Pendant que le véhicule dansait sur les nids-de-poule, lui, cramponné à son portable, criait :

– Chérie, je m'excuse, j'étais trop pris par le travail. C'est pour ça que j'ai oublié ton anniversaire!

Comme il tenait à nous faire savoir qu'il réglait ses affaires de famille avec le cellulaire et qu'on allait devoir le subir pendant une bonne partie du trajet, j'ai décidé de le conseiller en lui disant :

– Si j'étais toi, j'irais tout de suite voir ma deuxième femme ou un match de football au stade. Ta femme ne te pardonnera jamais d'avoir oublié son anniversaire.

– De quoi tu te mêles ? m'a-t-il répondu.

– Je me mêle d'une conversation que je ne tiens pas à entendre. En plus, tout le monde sait qu'une fois sur deux vous parlez à une personne fictive parce que vous n'avez pas l'argent nécessaire pour faire fonctionner ce machin qui est plus décoratif que téléphonique.

– Je t'emmerde! me cria-t-il avant de ranger son téléphone.

– C'est bien! De toute façon, c'est ce que tu sais faire de mieux, avec ton téléphone cellulaire de pacotille fabriqué en Chine.

Arrivé à Pikine, quand j'ai raconté à ma cousine ma prise de bec avec le passager, elle m'a expliqué que le nom le plus populaire qu'on donnait au téléphone portable de banlieue était le « je reçois ». Une dénomination qui vient du fait qu'on les utilise uniquement pour recevoir des appels, les minutes pour appeler étant trop coûteuses pour un habitant du tiers-monde.

Pour se faire appeler au bon moment et en présence de la bonne personne, ces papes du paraître ont plus d'un tour dans leur sac. La technique la plus éprouvée consiste à donner quelques sous à un ami et à lui demander d'appeler à une heure précise. Généralement, ça arrive pendant qu'on est en train de baragouiner des conneries à une fille qui ne sait pas qu'on a déjà quatre épouses et une horde d'enfants dont il faut s'occuper.

Évidemment, quand le téléphone sonne, monsieur ne dit pas qu'il vient d'être appelé sur commande. Il demande la permission de s'éloigner pour parler à sa secrétaire. Et comme la « secrétaire » ne sait trop quoi dire, son mandat d'appeler étant rempli, un bon talent d'improvisateur s'avère alors indispensable. Pour cela, il suffit d'improviser, dans un français « wolofisé », des phrases comprenant les termes « Italie » et « France » et de terminer par le mot « transaction ». La plupart des filles de banlieue adorent ces termes. Elles n'en connaissent pas la signification, mais elles savent qu'en général ce mélange de mots est indicateur d'une certaine aisance financière ; on ne peut pas parler de l'Italie, de la France et de transactions sans parler de devises, donc de gros argent.

En Afrique, la devise de la majorité des femmes est la suivante : **Je ne t'ai pas épousé pour ton argent, mais si tu n'en avais pas, je ne serais pas avec toi**. Aussi, pour piéger les dames, l'important, c'est ce que l'on affiche, et le téléphone portable qui sonne est un leurre d'une grande efficacité. J'ai même entendu parler de ce monsieur qui, pour faire sonner son téléphone le plus souvent possible, a placé une pancarte, sur laquelle il était écrit « Terrain à vendre », sur une propriété du gouvernement. Et comme l'emplacement était bien situé, son téléphone portable avait sonné des centaines de fois avant que les spéculateurs fonciers découvrent le subterfuge.

Il n'y a rien de plus facile que d'acheter un téléphone portable au Sénégal. Même les vendeurs de poissons de Dakar en proposent à côté de leurs darnes de mérou. Les voleurs en piquent à la tonne et les revendent sur le marché noir.

Ma sœur Mbissine m'a raconté qu'un jour, alors qu'elle voyageait en bus, une dame s'était mise subitement à crier au chauffeur d'arrêter parce qu'on lui avait piqué son cellulaire et qu'elle savait que le voleur était encore dans le véhicule. Quand le chauffeur immobilisa le bus, un jeune homme de bonne famille qui était à côté de la dame lui demanda son numéro et le composa sans perdre de temps. Le téléphone se mit à sonner dans la poche d'un type qui semblait, par son habillement, appartenir à la caste des grands fonctionnaires africains : ceux qui ont le privilège de se faire pousser un gros ventre pendant que le peuple titube de famine sur des jambes de tiges de roseau. Comme les coupables sont généralement ceux qui en ont beaucoup à dire, sous les regards accusateurs des passagers, le voleur ouvrit immédiatement sa trappe. Il expliqua que l'appareil avait dû sauter et entrer dans sa poche à cause des nids-de-poule. « Tu expliqueras ça aux policiers », lui lança le chauffeur avant de verrouiller les portes et de prendre la direction du commissariat. Le voleur se mit alors à pleurer. Il savait ce qui l'attendait chez les hommes en uniforme. En Afrique noire, quand les policiers reçoivent un homme accusé de vol, ils le tabassent presque à mort, avant même de vérifier si les accusations portées contre lui sont fondées. C'est un peu l'inverse de ce qui passe au Canada, où l'on présume que, faute de preuves, un accusé est toujours innocent. Le chauffeur d'autobus, aidé par quelques voyageurs, déposa le voleur au commissariat de police, où un agent qui travaillait dans le département des vols à la tire leur expliqua que leur prise était tout un spécialiste. Que c'était peut-être la dixième fois qu'il se faisait prendre pour des histoires de vol de téléphone portable.

Ma sœur Mbissine s'est elle-même déjà fait voler son portable. Comme le voleur n'avait même pas pris le temps de remplacer la puce électronique, le téléphone continuait de sonner quand on composait le numéro de ma sœur. C'est son amie Tina qui, la première, en essayant de la joindre, eut la surprise de tomber sur une voix masculine. Elle demanda :

— Est-ce que Mbissine est là ?

— Tu t'es trompée de numéro, répondit le voleur.

— Ce téléphone appartient à Mbissine.

— Vous voulez dire « appartenait à Mbissine », ajouta-t-il avant de raccrocher.

Tina appela ensuite Mbissine sur notre téléphone fixe et lui demanda qui était l'homme qui répondait au bout de sa ligne de portable.

— Je me suis fait voler mon cellulaire, répondit Mbissine. Je pense que le larron n'a pas encore désactivé ma puce.

Sans tarder, Mbissine appela le monsieur et lui dit :

— Tu as volé mon cellulaire et, en plus, tu gardes ma puce et tu reçois tous les appels qui me sont destinés.

– C'est à toi d'annuler ta puce, ma chère, répondit le voleur.

– Tu es un voleur doublé d'un imbécile.

– Ce n'est pas parce que j'ai ton téléphone que ça te donne le droit de m'insulter.

– Oui, tu représentes l'incarnation même de l'imbécillité.

– Ne te fâche pas, ma chère, ajouta le voleur. Une voix douce comme la tienne ne devrait pas s'emporter.

– **Ne demande pas à un chien dont tu as coupé la queue de manifester sa joie**, ajouta Mbissine avant de raccrocher.

Comme Mbissine ne pouvait pas annuler la puce de son téléphone parce que tout son bottin se trouvait dans la mémoire, la négociation devint la seule alternative. Le voleur décida de profiter de la situation pour commencer à draguer ma sœur.

– On va trouver un arrangement, proposa-t-elle un jour au voleur. Tu vas me dicter les numéros de téléphone qui sont dans le cellulaire et je te laisse tranquille.

– Pas de problème! répondit le voleur. Va chercher un stylo et du papier.

Après avoir dicté trois noms à ma sœur, le voleur lui dit: « C'est assez pour aujourd'hui, car si je te donne tous les numéros en une seule fois, je n'aurai plus la chance d'écouter ta douce voix. Cependant, chaque fois que tu voudras en avoir un en particulier, fais-moi signe et ça me fera plaisir de t'aider. »

À partir de ce jour, et pendant trois semaines, Mbissine entra régulièrement en contact avec le voleur qui se promenait avec son téléphone portable. Même qu'après une semaine il commença à s'ennuyer quand elle tardait à l'appeler et répondit :

– Ah ! Mbissine ! Cela fait longtemps que je n'ai pas eu de tes nouvelles. Je commençais à croire que tu étais fâchée. Qu'est-ce que je peux faire pour toi ?

– Est-ce que tu peux me trouver le numéro de telle personne dans mon cellulaire qui est devenu tien ?

– Avec grand plaisir, répondit le voleur, qui en profita pour lui transmettre les messages de tous ceux qui avaient essayé de la joindre.

Mbissine finit même par révéler à l'homme qu'elle travaillait à la Coopération allemande, à Dakar. Puis un jour, impatient de recevoir son appel, il se renseigna et appela ma sœur à son bureau. Plus le temps passait, plus le voleur semblait développer une affection particulière pour elle.

À ce stade de l'histoire, je pensais, tout comme certains d'entre vous peut-être, qu'ils allaient se rencontrer. Que cet homme allait peut-être lui redonner son téléphone en échange d'une demande en mariage… Ce n'est pas ce qui se produisit. Prise de panique, ma sœur décida de sacrifier son bottin téléphonique et d'annuler sa puce auprès de la compagnie de téléphone. Le lendemain, le voleur la rappela pour lui dire qu'il avait remarqué que le téléphone ne fonctionnait plus. Il lui annonça ensuite qu'il regrettait de lui avoir volé son appareil et que, s'il pouvait le lui remettre sans se faire pincer par les policiers, il n'hésiterait pas à le lui rapporter.

**Un lion qui chasse pour tuer ne rugit pas.**

# Le mirage de l'occident

Le mirage de l'Occident, quel jeune des pays du Sud n'a pas déjà subi son appel? «Viens en Europe faire de l'argent. Tu pourras ensuite revenir dans ton pays et te bâtir une belle maison dont tous les gens de la banlieue ne pourront que rêver.» La première fois que mon cousin El Hadj a essayé de sortir du pays, il avait décidé de le faire par la voie légale. Après avoir rassemblé ses économies, il appela une agence de voyage pour demander combien valait un billet d'avion pour le Canada. Quand la préposée au bout du fil lui annonça le prix, il le trouva tellement exorbitant qu'il répondit:

– Vous êtes certaine du montant que vous venez de me donner? Je ne veux pas emmener le Canada en Afrique; je veux juste y aller.

– C'est ça, le billet le moins cher, ajouta la vendeuse.

– Je vous remercie, madame, mais je vais plutôt acheter un avion à la place de votre billet, lui dit El Hadj avant de raccrocher.

À partir de ce jour, El Hadj fut déterminé à se rendre en Europe pour l'équivalent de cent dollars.

– Cent dollars? lui demandai-je. Avec quelle compagnie vas-tu payer une si maigre somme pour aller en Europe?

– Je les paie au portier d'un conteneur. Je vais voyager en bateau.

— Tu ne vas pas voyager, tu vas te faire mener en bateau, l'avertis-je. Si tu te fais prendre en clandestin dans les cales d'un bateau de pêche russe, tu peux être certain que le capitaine va t'utiliser comme appât pour la pêche au requin.

Têtu comme une mule, El Hadj continua à travailler sur son projet avec son ami Balla, sa mère ne sachant absolument rien de ce qu'il manigançait. Ils faisaient des allers et retours au port de Dakar et flirtaient avec les escrocs qui peuplent cet endroit où les jeunes viennent jeter leurs économies à l'eau pour essayer de rejoindre l'Europe.

Le jour venu, El Hadj envoya quelqu'un annoncer qu'il était parti sur un chalutier espagnol. Avec son ami, ils s'étaient cachés dans un endroit très peu fréquenté du navire et ils avaient pris le soin d'emporter de la nourriture et de l'eau. Il ne leur restait plus qu'à économiser l'eau et le peu de nourriture dont ils disposaient pour atteindre l'Europe.

Au bout d'une semaine, les provisions des deux cachottiers furent épuisées et ils commencèrent à sentir la faim. Cette faim qui amène le gros intestin à avaler le petit parcourait leur ventre.

— Ça fait une semaine qu'on est sur le bateau et qu'on navigue. Je pense qu'on doit être proche de l'Europe.

— On devrait sortir et réclamer à l'équipage le statut de réfugiés, répondit Balla.

— Attendons au moins que le bateau accoste à un port, proposa El Hadj avec beaucoup de sagesse. Comme ça, on aura des témoins. Si on sort en plein océan, ils peuvent nous balancer pour éviter d'avoir des problèmes avec la police des frontières.

Le lendemain, le bateau était amarré et, de leur cachette, les deux clandestins pouvaient sentir la vie.

— Certainement l'Espagne ou le Portugal, lança Balla.

— Je me fiche complètement du pays où nous sommes. Tout ce que je veux, c'est être en Europe. Maintenant, sortons sur la passerelle et demandons le statut de réfugiés.

Aussitôt dit, aussitôt fait; ils sortirent en titubant de faim et de soif, s'approchèrent d'un marin qui travaillait sur le pont et lui dirent :

— Nous réclamons le statut de réfugiés.

— D'où est-ce que vous venez? demanda le marin, étonné de voir deux étrangers surgir des entrailles du bateau.

— Nous sommes des Sénégalais, répondit El Hadj.

— Restez ici, je vais appeler le capitaine.

Quand le capitaine arriva avec le reste de l'équipage, tout le monde se mit à rire en les pointant du doigt. Après dix minutes de rigolade, le capitaine mena les deux clandestins vers la proue du navire et, de là, El Hadj et Balla purent admirer les minarets des mosquées de Dakar et de l'île de Gorée.

— Vous voyez, leur expliqua le capitaine, vous n'êtes pas encore en Europe. Depuis huit jours, nous pêchons au large du Sénégal et nous revenons au port pour régler les détails administratifs avec les autorités du ministère des Pêches. Vous vouliez le statut de réfugiés? J'ai quelque chose de mieux pour vous. Je vais appeler la police du port qui se fera un plaisir de vous donner le statut de prisonniers dans votre propre pays.

C'est ainsi que mon cousin El Hadj et son ami Balla purgèrent leur première peine de prison.

# DE LA SAVANE À LA NEIGE

## Entre choc culturel

## et

## choc thermique

Celui qui a déjà chevauché tout nu
un porc-épic échangerait sa maison
contre une selle.

# L'hiver du Québec raconté à mon grand-père resté en Afrique

Cher grand-père,

Je t'écris aujourd'hui pour te parler non pas du choc culturel, mais du choc thermique. Pendant longtemps, j'ai pensé que les habitants des pays chauds étaient résistants aux températures froides. La théorie sur laquelle je me basais, c'est mon père qui me l'avait enseignée. Il m'a dit un jour : « Mon fils, dans toute chose, il faut un juste milieu. Tiens, par exemple, si tu prends un homme et que tu lui mets la tête dans le feu et les pieds dans un congélateur, tu devrais pouvoir faire pousser des cocotiers dans la région de son nombril. » Cette théorie vient de tomber à l'eau. Hier, la température est descendue à -40 °C. Pour te donner une idée, en revenant de l'université, j'ai pissé dans la rue et, crois-le ou non, le jet est resté figé en l'air. Un arc de glace me reliait directement à la terre ! Je te vois déjà demander comment j'ai réussi à me libérer. Eh bien, je suis resté planté là ! Il a fallu que mon voisin sorte et me dise : « Il faut casser la glace, mon homme ! »

Pendant l'hiver, les sept jours de la semaine sont remplacés par trois : la veille d'une tempête, le jour de la tempête et le lendemain de la tempête… qui est aussi une veille de tempête.

Comme dirait mon voisin québécois, aujourd'hui, il fait tellement *frette* que même les avocats ont les mains dans leurs propres poches. L'hiver du Québec, on ne peut pas se le faire raconter. Il faut le vivre pour savoir ce que c'est. Ici, la guerre froide est loin d'être terminée, elle recommence chaque année. En plus de l'effet de serre qui cause des ravages, l'ennemi à abattre s'appelle le vent, ce facteur qui fait augmenter les factures d'électricité. D'ailleurs, le pays entier vient d'être frappé par une catastrophe. Certains l'appellent la crise du verglas, d'autres, le *crisse* de verglas, et plusieurs soutiennent même la thèse de l'attentat terroriste non revendiqué. Il faut dire qu'avant le verglas, il y a eu le déluge du Saguenay, un autre attentat terroriste qui portait la signature d'Allah Bordage[1].

Tu te rappelles, grand-papa, avant de partir du pays, j'étais certain d'être bien équipé pour affronter l'hiver du Québec. J'avais pris soin de mettre une doublure à mon boubou, tricoté avec la grosse soie du pays. J'avais aussi doublé les semelles de mes sandales avec des pneus quatre saisons. Je m'étais dit : « Au pire, si jamais j'arrive pendant une période de froid pas très supportable, là, je n'aurai pas

---

1. Le dieu musulman des eaux !

le choix, je mettrai des bas.» Justement, la semaine passée, j'ai enfilé ma première paire de bas, ceux que je croyais être les fameux bas du Canada. J'ai compris plus tard que, pour une minorité visible qui veut passer incognito, mieux vaut ne pas se promener en pieds de bas en plein centre-ville. Mais, comme on dit chez nous, **celui qui a la diarrhée n'a pas peur de l'obscurité.** Comment veux-tu qu'un gars de la savane sache ce qu'est un bas de nylon? À ma descente de l'avion, la première fille que j'ai vue en bas de nylon, j'étais certain qu'elle était à moitié africaine.

Aujourd'hui, j'ai trouvé la combinaison gagnante contre l'hiver. Les indigènes l'appellent la combinaison à panneau. La première fois que j'en ai enfilé une, je me sentais tellement bien que je l'ai gardée sur moi pendant deux semaines. Depuis, j'ai fait le serment de ne plus jamais me laisser prendre dans une sale combine. Et à tous les immigrants frileux qui seraient tentés par l'expérience, je dirai ceci : «Prudence, les petites bibittes ne sont pas toujours sur les panneaux. Parfois, elles sont dedans.» Au début, j'enfilais toujours mes sous-vêtements de façon à avoir l'ouverture devant. Ma combine était de faire tomber les filles dans le panneau... Et ça a marché! Elle s'appelle Laure. Eh oui! Je viens juste de quitter l'Afrique cassé et, déjà, je roule sur Laure.

Tu sais, grand-papa, tout comme moi, la plupart des immigrants ne sont pas bien préparés pour survivre aux hivers québécois. Prends mon ami Mamadou, qui vit à Montréal. Pour lui, s'adapter à l'hiver, c'est s'abonner à la télé payante et commander de la pizza par Internet. Il dit que l'hibernation est à l'ours ce que la *cybernation* est à Mamadou. J'ai calculé que si la tendance d'engraissement hivernal se maintenait, dans quelques années, Mamadou allait se ramasser les fesses d'un océan à l'autre. Alors, les agents d'immigration n'auront pas d'autre choix que de lui accorder la nationalité canadienne. Même pour les habits d'hiver, il a fallu que je lui dise : «**En visite chez autrui, ouvre les yeux avant la bouche.** Surveille ta blonde. Quand elle commence à porter son string en flanellette, c'est le temps de sortir tes combines à panneau.» Lorsque le froid pointe le bout de son nez au Québec, le string en flanellette devient à l'hiver ce que la marmotte est au printemps.

Il y a des jours où la peur de mourir et de finir dans cette terre complètement gelée me hante l'esprit. En fait, ce n'est pas la mort elle-même qui me fait peur, mais le fait de voir mon âme thermosensible d'Africain survoler la ville de Rimouski par -40 °C.

Parfois, pour sortir de la monotonie, mon ami David m'emmène faire du ski. C'est un sport où l'on monte sur deux planches en bois qui glissent sur la neige. Je l'ai essayé deux fois. La première fois, je suis tombé sur un pin, la deuxième fois, sur un bouleau. Je sais que tu as déjà en tête la baguette française et un travail bien rémunéré. Eh bien, détrompe-toi! Bouleau et pin sont ici des arbres qui cohabitent avec celui-là même d'où est extrait le sirop d'érable.

Pour les Québécois, la température reste et restera toujours le sujet de discussion favori. J'ai calculé que s'il faisait 22 °C toute l'année, on n'aurait plus grand-chose à se dire entre voisins. Heureusement, 22,5 °C, c'est trop chaud et 21,5 °C, c'est trop froid. En plus, si on est le moindrement chanceux, au Québec, on peut se taper trois saisons dans une même journée. Il peut pleuvoir le matin, faire soleil à midi et neiger le soir. Moi, je ne prends plus de risques. Dans ma voiture, mon manteau d'hiver côtoie mon maillot de bain et mon parapluie. Comme on dit chez nous, **celui qui a déjà chevauché tout nu un porc-épic échangerait volontiers sa maison contre une selle**.

Boucar

# À l'hiver comme à la guerre

Est-il possible de décrire l'hiver du Québec à un habitant de la savane africaine? La réponse à cette question est: non. Quand je suis retourné au Sénégal en vacances après ma première année à Rimouski, mon père m'a demandé s'il faisait froid au Québec. Je lui ai répondu qu'il faisait -40°C par certaines journées d'hiver. Évidemment, je ne doutais pas un seul instant que ce Sahélien qui a toujours vécu au-dessus de 20°C ne pourrait pas imaginer une température aussi froide. Après deux jours, il est revenu sur la question pour tenter d'y voir plus clair. Il voulait savoir si -40°C, c'était plus froid que dans un réfrigérateur de maison. Et quand je lui ai répondu que c'était au moins deux fois plus froid que dans le congélateur, il est resté figé quelques minutes avant de demander comment des *homo sapiens* pouvaient s'habituer à de telles températures. «En fait, la plupart des habitants de ce pays ne sont pas habitués à l'hiver, lui dis-je. Ils essaient tout simplement de passer au travers.» Pour beaucoup de Québécois, le rythme de vie se résume à profiter de l'été en pensant à l'hiver qui arrive, et à compter les jours d'hiver pour mieux voir l'été s'approcher. Je lui ai également dit, et vous me direz si je me trompe, qu'on se prépare à l'arrivée de l'hiver au Québec comme on se prépare à la guerre.

D'abord, il faut se renseigner sur la force de l'ennemi. Ces dernières années, l'hiver arrive toujours avec moins de neige et plus de froid. Certains attribuent ces variations à l'amincissement de la couche d'ozone. Pourquoi pas ? Mon voisin est convaincu que ses crises d'asthme sont de plus en plus violentes depuis que cette chose se passe dans l'ozone.

Une fois les forces de l'ennemi identifiées, il faut mettre sur pied un plan d'attaque. Il faut changer les pneus des voitures, fermer toutes les issues de la maison avec du plastique, vérifier si les missiles antineige (pelles, souffleuses et grattes à neige) sont en place et fonctionnels. La tuque devient tout à coup le meilleur ami de l'homme. Même la petite plante du jardin est solidement attachée et flanquée d'un pieu qui la réconfortera et la protégera de la charrue municipale ou encore du voisin égoïste qui pense que déneiger se résume à envoyer la poudre blanche loin de chez soi (c'est-à-dire sur le balcon du voisin). Une fois que l'ennemi est en place, les mentalités changent. Il devient alors très difficile de faire connaissance avec le voisin.

Mon premier voisin de palier, quand je suis arrivé au Québec, s'appelait M. Trépanier. J'ai passé tout l'hiver à essayer de lui soutirer une jasette, rien à faire. Il répondait toujours à mes salutations par des hochements de tête. Or, par une journée printanière de 8 °C, je découvris enfin le secret. En effet, par cette belle matinée, je lui dis : « Il fait beau, hein, monsieur ? » Il eut tout à coup le sourire fendu jusqu'aux oreilles et voulut tout savoir sur mon pays d'origine. Depuis ce jour, j'ai compris que, pour parler à un inconnu dans ce pays, le mieux était de surveiller la météo et de lui dire au bon moment : « Il fait beau, hein, monsieur ? » Croyez-moi, ça marche toujours. Le temps qu'il fait est le sujet de discussion privilégié des gens d'ici. D'ailleurs, si tel n'était pas le cas, il faudrait l'inventer, car, personnellement, je ne veux pas être obligé de parler de politique avec les chauffeurs de taxi.

Quand tu es Africain ou originaire d'un autre pays du Sud, tu te demandes toujours pourquoi tout ce remue-ménage avant l'hiver. Et on ne réalise vraiment l'importance d'être bien préparé que le mois de janvier venu. Je sais que **la bûche dans le jardin ne devrait pas rire de celle qui est dans le feu,** mais il faut que je vous raconte quelques mésaventures qui sont arrivées à des amis africains. J'ai vu des Sénégalais passer par les fenêtres pour entrer et sortir d'une maison qu'ils avaient louée parce que la porte était bloquée par un énorme banc de neige. Pourtant, le propriétaire de la maison leur avait donné accès à une souffleuse toute neuve avant de suivre les oies vers le sud. Le problème, c'est qu'aucun des trois Sahéliens ne savait comment faire marcher la maudite machine. J'ai également vu l'un de mes amis descendre une côte glacée à quatre pattes parce que, disait-il, ça aurait pris des griffes de léopard pour tenir debout sur la surface glissante. Lui non plus n'était pas bien préparé, n'ayant pas de crampons sous ses bottes. Mais la meilleure, c'est cet étudiant étranger qui ignorait totalement ce qu'était un bon manteau d'hiver. Il se réveillait le matin et enfilait la moitié de sa garde-robe avant de venir à l'université. Au début, on pensait qu'il s'était mis à la poutine aussitôt arrivé au Québec et qu'il avait pris du poids. Mais non, il était « surhabillé ». Quand on a découvert son problème, il avait, imaginez-vous, sept vêtements sur lui, et il gelait quand même.

Pour lutter contre le froid, il n'y a pas de secret, il faut s'habiller de la tête aux pieds. Cependant, ce mode de vie n'est pas sans danger pour moi et mes frères. En effet, la nuit, il ne faut jamais oublier de sourire pour avertir les automobilistes de notre présence. On a tendance à oublier, mais les minorités visibles le jour sont invisibles la nuit. Un jour, j'ai même pensé prendre le taureau par les cornes et m'acheter une cagoule si ça n'avait été de mon ami David qui me suggéra de ne jamais oublier de l'enlever en entrant dans un dépanneur.

J'ai fini par dire la vérité à mon père. La vérité, c'est que, avant de venir au Québec, on nous raconte à tous qu'il y a quatre saisons dans ce pays. C'est seulement après un an qu'on découvre qu'au fond il n'y a que deux saisons : la saison froide et le mois de juillet.

Mais ne dramatisons pas. L'hiver a tout de même des côtés positifs. Personnellement, le fait d'avoir connu celui du Québec a enrichi mon vocabulaire d'une expression : « il faut profiter du beau temps ». Il fait beau aujourd'hui ? Profitons-en ! Essayez d'expliquer le sens profond de cette expression à quelqu'un du Sud. Vous aurez autant de difficulté à lui faire saisir le concept, que moi à faire comprendre à mon père ce qu'est 40 °C au-dessous de zéro. Il y a quelques années, mon amie Nathalie est allée en Afrique de l'Ouest. Tous les jours, elle se réveillait et disait à sa famille d'accueil : « Il fait beau aujourd'hui !» C'est seulement après deux semaines qu'elle s'est rendu compte que les gens ne comprenaient pas ce qu'elle voulait dire, car le soleil et la chaleur sont au rendez-vous à longueur d'année. **L'étranger a beau avoir de grands yeux, il demeure partiellement aveugle dans une nouvelle culture.**

Une grenouille qui a déjà été ébouillantée
prend le temps de mouiller sa patte avant de
sauter dans une flaque d'eau.

# Pas facile pour un Africain
# de s'acclimater à l'hiver

Pour un Africain qui veut s'acclimater à l'hiver du Québec, voici quelques conseils. Premièrement, il faut s'habiller chaudement de la tête aux sandales. Deuxièmement, il ne faut jamais oublier de garder le sourire dans l'obscurité. Et les périodes nocturnes sont longues : en janvier par exemple, il fait noir dès seize heures et c'est encore sombre à huit heures le matin. Enfin, pour combattre la grippe hivernale, il faut acheter du gin. En effet, comme me disait un sage gaspésien, en hiver, si tu n'es pas grippe-sou sur le gin, tu seras souvent soûl mais rarement grippé.

Dès mes premières semaines au Québec, tout le monde m'a confié que, pour aimer le froid, il fallait pratiquer des sports d'hiver. Pour quelqu'un comme moi qui pensais que le ballon-balai n'était pas un vrai sport d'hiver mais une tâche ménagère, il y avait du travail à faire.

La première fois que j'ai essayé le patin, comme je ne pouvais pas rester debout, j'ai pensé à mon grand-père qui nous avait dit un jour : « Les enfants, il y a deux articles consacrés aux lions dans la sagesse africaine. D'abord, l'article 1 dit : "Il ne faut jamais jouer à attraper la queue d'un lion", et l'article 2 stipule que : "Si vous avez violé l'article 1, accrochez-vous solidement". » Alors, je me suis mis debout sur mes deux patins et, pour amortir mes *débarques* sur la glace, je me suis cramponné à un voisin. À un moment donné, un homme sur qui je m'étais appuyé en passant s'est fâché et s'est mit à m'engueuler :

— *Wayon tabarnouche*, c'est quoi cette façon de patiner !?

— Ça, c'est une méthode de patinage développée par la mafia africaine. Ça s'appelle « je vais tomber, mais je ne serai pas seul ».

Au bout de dix minutes sur la patinoire, j'étais certain que je faisais de la magie noire sur la glace, pas parce que j'étais rapide sur mes patins, mais plutôt parce que les gens avaient disparu autour de moi. C'est à ce moment qu'un jeune garçon de douze ans s'est approché et m'a dit :

— Tu sais ce que tu devrais faire pour rester debout ?

— Ne me demande surtout pas, à vingt-sept ans, de patiner en m'appuyant sur une chaise ! Mon grand-père disait : « **Celui qui écoute tous les donneurs d'avis suit le vent à la trace.** »

— Non, tu devrais commencer par enlever tes protège-lames, me fit remarquer le garçon.

J'étais si content que je demandai au jeune expert son secret pour le patin.

— Je ne sais pas, répondit-il, il paraît que je suis venu au monde avec une paire de patins aux pieds.

C'est là que j'ai compris pourquoi ma mère n'avait jamais voulu courir le risque d'avoir un skieur dans la famille. J'imaginais déjà une dame qui accouche péniblement, et le médecin qui hurle : « Poussez, madame, poussez ! Il se présente par le télésiège ! C'est un skieur ! »

Celui qui a déjà été mordu par un serpent se méfie même de ses lacets.

À part le patin, la meilleure façon pour un immigrant de se casser les bijoux de famille, c'est de faire du ski. La première fois que j'ai essayé le ski alpin, j'étais aussi confiant qu'un pygmée dans un concours de limbo. Jusqu'à ce que je me retrouve sur une pente à pic. Tout ce dont je me rappelle, c'est que, de temps en temps, j'avais le dessus sur mes skis, mais la plupart du temps, les skis avaient le dessus sur moi. Quand, en bas de la piste, les patrouilleurs réussirent enfin à dégager le skieur africain que le bonhomme de neige recelait, je me dis : « La preuve est là, noir sur blanc, que le ski n'est pas une invention africaine. » J'ai passé quinze secondes sur une pente descendante… et quinze semaines sur une chaise roulante à essayer de remonter la pente.

Aujourd'hui, quand on m'invite à faire du ski, je réponds toujours : « Vous savez, pour un homme de la savane comme moi, il y a bien d'autres façons de se casser une jambe. **L'arbre émondé sait ce que lui veut la hache.** » J'ai rayé les sports d'hiver, même les moins violents, de mon calendrier. En effet, nos ancêtres disaient : « **Celui qui a déjà été mordu par un serpent se méfie même de ses lacets.** » On dit aussi : « **La confiance s'est envolée depuis que l'eau a cuit le poisson.** »

De retour chez moi après ma fâcheuse expérience sur les pentes, mon voisin très compatissant me conduisit sur sa galerie, me refila une pelle et m'apostropha ainsi :

– Moé faire découvrir toé autre sport d'hiver. Au lieu pelleter nuages université, toi pelleter entrée garage à moé.

– Toé prendre moé pour Newfie ! lui répondis-je. Toué peut-être donner petit pic avec pelle, en

156

option? Non, moé refuser. Moé balancer dans entrée garage à toé gros camion neige. Mange de la *schnoute*!

Il faut dire qu'auparavant ce même profiteur de voisin avait réussi à me faire découvrir de curieux sports d'hiver, auxquels il m'initia gratuitement et gentiment: installer un abri Tempo, étendre du sel, calfeutrer des fenêtres, pelleter des bancs de neige et rentrer du bois de chauffage. **Une grenouille qui a déjà été ébouillantée prend le temps de mouiller sa patte avant de sauter dans une flaque d'eau.**

**Chaque oiseau se doit de chanter les louanges du pays où il passe la saison chaude.**

**Boucar Diouf : le plus africain des Québécois, mais aussi le plus québécois des Africains.**

# Les faux spécialistes de l'hiver

Le Québec regorge de spécialistes de l'hiver. Du moins, quand on est immigrant, il y a beaucoup de Québécois qui prétendent être très adaptés aux hivers froids de leur pays. Ils désirent donc nous donner des conseils pour nous aider à apprivoiser le froid. Mais la plupart de ces spécialistes ignorent ce qu'est l'adaptation, biologiquement parlant. L'adaptation, dans sa définition biologique, est un ensemble de changements morphologiques, physiologiques et biochimiques héréditaires permettant à une espèce d'exploiter son environnement de façon optimale. Le terme le plus important dans cette définition est la notion d'hérédité. En biologie, on dira que l'éperlan est adapté au froid parce qu'il se sent bien dans cet environnement. Il produit du glycérol et des antigels dans son sang qui le protègent aux basses températures. Ce qui n'est pas le cas de la plupart des Québécois. Les Québécois qui aiment vraiment l'hiver ne sont pas adaptés mais acclimatés à leur environnement. Contrairement à l'adaptation, l'acclimatation est un ensemble de changements temporaires nécessaires à la survie et qui ne sont pas héréditaires. La preuve, il arrive que de grands amateurs de froid s'installent en Floride en vieillissant et deviennent complètement réfractaires aux températures froides. Pourtant, il suffit qu'un immigrant commence à sacrer et à écouter le hockey du Canadien pour qu'on dise qu'il s'est adapté au Québec.

Selon mes observations, il existe deux catégories de raconteurs d'histoires d'hiver. D'abord, il y a ceux que j'appelle les pessimistes chroniques. Cette catégorie regroupe tous ces gens qui sont si bien acclimatés aux caprices du climat canadien qu'ils ne peuvent concevoir qu'on puisse avoir du beau temps sans en payer le prix un jour ou l'autre. Ce sont ceux qu'on entend souvent dire : « On a un maudit bel été. *Check* ben ça, on va encore se taper un hiver d'enfer. » Ou alors : « Mon Dieu qu'on a un bel hiver ! Il n'y a pas de doute ! Ça va nous tomber dessus à seaux d'eau bénite l'été prochain. » Et si on pousse un peu plus loin la réflexion, on peut se permettre de supposer que ce sont peut-être les mêmes individus qui, autrefois, se faisaient dire par les curés : « Sachez que vous ne pouvez pas avoir du plaisir ici-bas sans en payer le prix là-haut. » Ce sont peut-être aussi les mêmes, devenus parents, qui disent aujourd'hui à leurs enfants : « À force de rire, tu finiras par pleurer. » Ou : « Si tu gagnes le gros lot du 6/49, tu vas t'attirer bien des problèmes. »

Mais parmi tous ces gens qui en mettent plein la vue aux immigrants sur l'hiver, mes préférés restent ceux qui racontent des histoires du genre : « Quand j'étais petit, les bancs de neige étaient pas mal plus hauts qu'aujourd'hui. » À Rimouski, où j'habite, il y avait un chauffeur de taxi qui était spécialiste en la matière.

La première fois que je pris son taxi, même si j'étais noir comme un tuyau de poêle et habillé d'un boubou africain en flanellette multicolore, il trouva quand même le moyen de me dire :

— Tu n'as pas l'air d'un petit gars d'*icitte*, toué ?

— Ah bon, ça se voit tant que ça ?

— Tu viens-tu d'*icitte* ?

— Non !

— Trouves-tu qu'il fait *frette* ?

— Oui !

— Estime-toi chanceux, mon gars ! Quand j'étais petit, les bancs de neige étaient pas mal plus hauts qu'aujourd'hui !

La semaine suivante, je repris le même taxi et, ne me demandez pas pourquoi, il ne me reconnut pas :

— Tu viens-tu d'icitte ?

— Non !

— Trouves-tu qu'il fait *frette* ?

— Oui !

— Estime-toi chanceux, mon gars ! Quand j'étais petit, les bancs de neige étaient hauts comme ça.

Puis un jour, je repris le taxi et… silence total. Alors, j'en profitai pour lui demander :

— Trouves-tu qu'il fait *frette* ?

— Oui !

— Estime-toi chanceux. Moi, quand j'étais petit, les bancs de neige touchaient presque les fils électriques.

Alors, il se retourna et me dit :

— Coudonc, tu viens-tu d'*icitte*, *tabarnouche* ?

— Non ! Mais je connais la théorie de la relativité. Quand on est petit enfant, les bancs de neige paraissent toujours plus hauts. Et au fur et à mesure qu'on devient de grands enfants, ils paraissent toujours plus petits. Cher monsieur taxi, il y a un proverbe chinois qui dit : **Si tu cognes ta tête contre une cruche et que ça sonne creux, n'en déduis pas forcément que c'est la cruche qui est vide.**

Et le bon bougre de me répondre :

– Tu as peut-être raison, mais moi, j'en connais un qui dit : *On peut bien mentir à qui vient de loin.*

Aujourd'hui, après bien des années passées au Québec, j'ai appris à inventer et à servir mes propres exagérations. **Si quelqu'un t'a mordu, il t'a rappelé que tu as des dents.** J'ai appris très vite de mes amis québécois. Il y a d'ailleurs une série de proverbes africains qui illustrent très bien cette situation : **Quand la mère vache rumine, ses petits observent sa bouche. Celui qui passe la nuit dans la mare se réveille cousin des crocodiles. Le pélican a une coiffure sur la tête, puisqu'il salue chaque matin le dindon. Si tu entends l'écureuil dire qu'il y a un poisson borgne dans l'eau, c'est le crocodile qui le lui a raconté.**

À un homme qui voulait m'impressionner avec les hivers de son enfance, j'ai déjà dit :

– Dans mon village aussi, on jouait au hockey. Mais notre hockey n'est pas comme le vôtre. On l'appelle le hockey-safari. Comme les Africains aiment parfois taper sur du blanc pour s'amuser, au hockey-safari, la glace est noire et la rondelle est blanche. Les casques tiennent sur la tête juste avec un morceau de velcro. Par contre, pour écrire le nom d'un seul joueur, parfois ça prend deux maillots.

– Aviez-vous une bonne équipe? m'a-t-il demandé.

– Notre équipe s'appelait les Éléphants du Sahara, mais on n'arrivait même pas à marquer dans un filet désert. La plupart des joueurs lançaient tout le temps à l'aveuglette, mais on ne pouvait pas leur en vouloir, c'étaient des Ivoiriens. Par contre, on avait un joueur éthiopien qui nous mangeait tout le temps la rondelle. Lui, on n'était pas capable de le sentir parce qu'il faut savoir, monsieur, que, au hockey-safari, la rondelle est une bouse de vache séchée. D'ailleurs, chaque fois qu'on tirait de l'arrière, le gardien était dans la merde jusqu'au cou. Malheureusement, depuis quelques années, le hockey-safari perd de la glace au profit du football. Sa clientèle fond parce que les joueurs veulent gagner des fortunes juste en tapant sur de la bouse de vache. J'espère, monsieur, que vous n'aurez pas ce problème avec votre hockey dans les années à venir.

Il m'a répondu :

– On voit que tu connais très bien la culture québécoise du hockey.

Je suis certain qu'il voulait dire : «Tu nous sers notre propre médecine.» Ou alors, comme on dit chez moi : «**Si l'arbre savait ce que lui réserve la hache, il ne lui aurait pas fourni le manche.**»

# Choc culturel

Les différences de culture peuvent constituer des armes de destruction massive pour le mariage. Surtout en ce qui concerne les relations avant le mariage. Imaginez-vous demander à un papa arabe : « Monsieur Baklava, est-ce que je peux prendre mon pied avec votre fille sans demander sa main ? » Au Québec, les mélanges culturels et les couples mixtes sont très courants dans une grande ville comme Montréal, mais dans les régions, un Noir et une Blanche, ou l'inverse, qui se promènent dans la rue sont une sorte de spectacle en soi. Surtout quand ils poussent un landau. Tout le monde s'arrête pour jeter un coup d'œil dedans. Parfois, je me demande si les gens ne veulent pas vérifier si l'enfant est métis zébré.

J'ai fréquenté une Québécoise qui avait une fillette de quatre ans, une petite blonde aux yeux bleus. Et, chaque fois que je faisais une promenade avec la petite Stéphanie, celle-ci se faisait un plaisir d'éclaircir la situation en disant aux passants qu'on croisait sur notre chemin : « Boucar, ce n'est pas mon vrai père ! » J'avais pris l'habitude de lui dire : « Stéphanie, tu n'as pas besoin de dire aux gens que je ne suis pas ton vrai père : toute la ville de Rimouski le sait déjà. De toute façon, si j'étais ton vrai père, je demanderais certainement à ta mère si elle partage sa fidélité avec un autre homme que moi. »

La première fois que je suis allé dans la famille de ma copine, qui vivait dans un petit village du Bas-Saint-Laurent, je me suis tellement fait regarder que j'avais l'impression de débarquer d'une autre planète. Je m'attendais à ce qu'on se mette à compter les enfants le lendemain matin, pour voir si personne n'avait disparu pendant la nuit.

Il m'est arrivé, à un moment donné, d'être assis dans un café à côté d'une maman du village qui paniquait juste parce que sa petite fille de cinq ans voulait entrer en communication avec moi. Chaque fois que la petite avançait sa main vers moi, sa mère criait: «Virginie!» Je pense qu'elle voulait lui dire de faire attention au monsieur bizarre qui pourrait lui manger une main et garder l'autre pour demain.

Comme je n'en pouvais plus d'être pris pour le méchant, je décidai de rassurer la dame. Je lui tendis la main: «Bonjour, madame, je m'appelle Boucar, et ne vous inquiétez surtout pas pour votre fille, car je suis végétarien.» Deux minutes plus tard, la petite me demanda:

– Monsieur, est-ce qu'on t'a trempé dans le chocolat?

Et pendant que la maman paniquait en lui demandant où elle avait appris à dire des choses semblables, je répondis à la petite:

– Oui, ma chérie! C'est vrai qu'on m'a trempé dans le chocolat et, en plus, je me suis léché la paume des mains quand je suis sorti.

Elle a tellement ri, et la maman aussi, que les barrières sont tout de suite tombées. La petite a fini par me faire un beau dessin.

– J'ai dessiné E.T. pour toi, me dit-elle. Tu connais E.T.?

– Bien sûr que je connais E.T.! Je le connais même personnellement. Il vient du même village que moi. Son vrai nom, c'est Emonga Tamongo, ce qui veut dire «l'homme qui rêvait de voler en bicyclette». Quand il disait: «Téléphone maison», c'est à moi qu'il voulait donner des nouvelles.

La maman décida alors de partir avec son enfant. Elle m'avoua en sortant:

– Moi aussi, E.T., c'est mon ami!

C'est pendant ce séjour que j'ai vécu la soirée la plus incroyable de mon processus d'adaptation au Québec. Le plus gros obstacle, c'était le grand-père de ma copine, un vieux motard à la retraite qui me demanda, sans autre présentation:

– C'est quoi, ton petit nom?

– Je m'appelle Khalifa Aboubacar Sadikh Diouf.

– Le prénom dans tout ça, c'est quoi?

– C'est Aboubacar, monsieur.

– Et puis le reste, c'est quoi? c'est ton nom de famille?

– Non, monsieur. Dans mon pays, nous avons des phrases de famille avec un sujet, un verbe et un complément.

– Je pense qu'on devrait vous demander de résumer vos noms avant de venir au Québec, poursuivit le vieux. Imagine si quelqu'un décide de t'appeler pendant que tu prends les escaliers, tu as le temps d'arriver au cinquième étage avant que le monsieur arrive à prononcer la moitié de ta biographie patrimoniale. Tu vois, moi, je m'appelle Jean-Guy. C'est court et pratique.

Avant de me laisser tranquille, Jean-Guy me donna quand même un bon conseil. Tout en me contemplant avec ma robe africaine colorée qui descendait jusqu'au sol, il me dit qu'il espérait que je ne sortirais pas dans le bois habillé comme je l'étais. Parce que si tel était le cas, les chasseurs allaient me tirer dessus avant de demander aux agents de la faune : « La chasse à cette affaire-là est-elle ouverte ? »

J'avais profité de mon séjour pour aller à la pêche et, sur le bord du lac, un autre choc m'attendait. Chaque fois que je faisais mon petit lancer léger, le garçon à côté criait à son père : « Papa, regarde le pêcheur là-bas. Grand-mère en a un pareil dans son jardin. » Comme je n'en pouvais plus de l'entendre me comparer au nain en plâtre de sa grand-mère, j'expliquai au garçon : « Je ne suis pas comme le négro de ta grand-mère. Je pêche la truite avec des vers, et le négro de ta grand-mère, dans son jardin, doit attendre qu'il pleuve pour pêcher des vers de pelouse en les appâtant avec de la truite. »

Après environ douze ans de vie au Québec, Sarto, un collègue enseignant de l'université, m'ouvrit les yeux sur la définition du Noir dans cette province. À peu près à cette époque, un stagiaire du Sénégal travaillait avec lui. Sarto l'avait fait monter dans sa Mercedes et lui avait dit : « Si on te trouve au volant d'une Mercedes comme celle-là, tout seul, tu es un voleur. Par contre, si je mets cette casquette en conduisant à côté de toi, tu es un ambassadeur. Et si j'enlève la casquette et que je mets cette cravate, tu es un *dealer* de drogue. »

Cette définition du Noir selon Sarto est partiellement vraie. J'ai remarqué que tout ce qui est noir dans cette province a une connotation négative. Pensez à des expressions comme le travail au noir, les idées noires, le marché noir, un chat noir, les mouches noires, le mouton noir, la glace noire, une période noire, un œil au beurre noir, la misère noire, une messe noire, la grande noirceur, noir comme le diable, noir comme le poêle, broyer du noir. J'aurais pu vous en citer beaucoup d'autres, mais j'ai un blanc de mémoire ! En fait, il y a tellement d'expressions négatives avec le noir que le seul endroit où je me sente un peu positif, c'est quand je me vois sur le négatif d'une photo. Mais, comme je sens que vous allez me mettre sur votre liste noire si je continue, je vais arrêter ce texte et vous raconter autre chose.

**Si l'arbre savait ce que lui réserve la hache, il ne lui aurait pas fourni le manche.**

**(Le crocodile, ça goûte le poulet.)**

# La position du missionnaire

Je ne me rappelle plus combien de fois je me suis fait demander au Québec si je parlais l'africain. Aujourd'hui, je me contente de répondre : « Oui ! Et vous, monsieur, est-ce que vous parlez le canadien ? » Pour tous ceux qui l'ignorent, seulement au Cameroun, il y a plus de 330 dialectes, et, en général, les locuteurs de l'un ou l'autre de ces idiomes ne se comprennent pas entre eux. En fait, il y a tellement de dialectes en Afrique que le tam-tam reste la seule alternative comme langue commune. C'est un peu notre téléphone. La dernière fois que j'ai fait cette blague dans une école secondaire au Québec, un garçon m'a demandé comment on faisait pour commander une pizza avec un tambour. J'ai alors pris mon tam-tam et lui en ai fait la démonstration. À la fin de mon appel, j'ai tapé un son continu pendant une minute avant de lui dire : « Cette réponse indique que toutes les lignes sont présentement occupées et qu'il faut rappeler un peu plus tard. »

En vérité, les questions qui me font le plus frissonner ne viennent pas des enfants mais des adultes. Je pense à des questions comme : « Avez-vous l'électricité en Afrique ? Avez-vous la télévision ? Avez-vous des voitures ? Est-ce que c'est vrai que vous faisiez rôtir les missionnaires qui vous apportaient la parole de Dieu ? » À cette dernière question, je réponds toujours : « Si on faisait rôtir vos missionnaires, c'est parce que c'étaient des durs à cuire. En plus, ils n'arrêtaient pas de nous répéter : "Tenez, ceci est mon corps, livré pour vous !" » Il m'arrive aussi de dire aux gens que, dans mon dialecte, un missionnaire est appelé *pava*. Et que, par conséquent, dans mon village, les rares fois où l'on entendait hurler sur cinq octaves, c'était quand on préparait du *pava* rôti.

Si les Occidentaux sont si obsédés par le cannibalisme, c'est peut-être parce qu'ils sont nostalgiques d'un certain passé anthropophage qu'ils ne veulent pas reconnaître. Ils essaient alors de le chercher ailleurs, car, comme disait mon grand-père, **l'épine est plus facile à enlever de la chair d'autrui**. Ce passé anthropophage de l'Occident est encore très présent dans le langage populaire. En Occident, les filles sont belles à croquer, on mange son prochain, on savoure des doigts de dame, des croque-monsieur et même le corps du Christ, sans parler des oreilles de Christ et des grands-pères au sirop d'érable, si chers aux Québécois.

La première fois qu'un ami québécois m'a annoncé qu'il revenait d'un service funéraire, je lui ai demandé s'il avait bien mangé. Et comme par hasard, on y avait servi un buffet froid. Ce jour-là, même si mon intention n'était pas de manquer de repect envers un défunt, mon ami n'était pas très content. « **Le caca n'a pas d'épines, mais quand on marche dessus, on clopine** », disait mon grand-père. Ma question avait troublé mon ami, pareillement à toutes ces questions un peu stupides sur l'Afrique, qui me font sentir primitif. Je pense qu'un jour, pour rétablir l'équilibre, les Africains devraient refaire le film *Tarzan* avec un homme noir et des chimpanzés albinos.

# Le tam-tam des neiges

Le tam-tam africain, qu'on appelle communément le djembé, est devenu un instrument commun dans les pays d'Europe et d'Amérique. Dans certaines villes, comme celle de Québec, on retrouve plus de tam-tams que dans toute la région du Sine où je suis né. Des sous-sols de maisons aux parcs, en passant par les manifestations des militants de gauche du monde occidental, le tam-tam a trouvé preneur chez les Blancs.

Quand j'étais étudiant à l'Université du Québec à Rimouski (UQÀR), j'ai assisté à une soirée qui m'a fait réaliser que le monde était vraiment en mutation. Après un souper multiculturel, les Québécois blancs étaient sur la scène et jouaient du tam-tam pendant que les Africains habillés en boubou dansaient autour. Et qui sait ? Peut-être que des Africains se disaient dans leur tête : « Ces Blancs, ils ont vraiment le rythme dans le sang ! »

Quand mon frère Ndane me parlait des joueurs de tam-tam des pays du Nord, il me disait toujours : « La plupart des Blancs qui jouent du tam-tam sont aussi des fumeurs de *yamba*, qui est le cannabis. » Et je peux vous assurer que, depuis que je vis au Québec, je n'ai jamais trouvé un griot blanc qui échappe à cette règle. Mais le plus drôle, c'est que la plupart des jeunes Québécois qui jouent du tam-tam et fument du *yamba* pensent que tous les Africains sont experts dans le martèlement de la peau de chèvre. Un jour, j'ai joué un tour à un jeune Québécois dans un parc. Il tapotait tranquillement son instrument quand je m'approchai par-derrière et lui dis :

— M'as-tu appelé ?

— Non, pourquoi ?

— Alors surveille ce que tu joues, car j'ai entendu le mot « Africain » dans ce que tu jouais.

Il profita de la présence du supposé expert que j'étais à ses yeux pour me demander si je savais pourquoi son djembé ne sonnait pas comme un vrai.

— Si vous voulez faire du tam-tam africain un instrument québécois, il va falloir remplacer la peau de chèvre par une peau d'orignal, plus résistante au froid, lui répondis-je.

Le jeune homme sortit alors de sa poche une sacoche dans laquelle il y avait du *yamba*. Il roula ensuite sa source d'inspiration et l'alluma avant de me demander si j'en voulais.

— Désolé, lui répondis-je. Dans mon village, la philosophie est uniquement réservée aux vieux initiés.

Alors, il aspira son *yamba* pendant que je jouais avec son tam-tam. Et, quand il eut terminé de fumer, il se mit à danser, mais il le faisait tellement mal que je commençai à douter de la véracité de cet enseignement de mon pays qui dit que **si on sait marcher, on sait aussi danser**. À un moment donné, je ne pus m'empêcher de l'avertir : « Si tu vas dans mon village et que tu commences à danser comme ça, les gens vont t'attacher avant de décapiter une poule et de te verser son sang sur la tête pour te désensorceler. »

Ce jour-là, on eut à peine le temps de jouer quelques minutes que les policiers se présentèrent pour nous demander de greffer un silencieux sur le tam-tam si on voulait en jouer dans un parc. Au jeune homme qui se plaignait de discrimination, je dis avant de quitter : « Dans mon village, le vendeur de tam-tam est généralement aussi le vendeur de machettes. En effet, quand on joue du tam-tam dans une maison, il n'est pas rare que les voisins, après deux semaines d'insomnie, partent acheter des machettes pour faire la peau de ces inventeurs de rythmes fous. » D'ailleurs, les griots disent souvent que voler un tam-tam est relativement facile, mais que trouver un endroit pour en jouer sans se faire repérer n'est pas une mince affaire. Ils disent aussi que le tam-tam éloigne les forces du mal. Au Québec, par contre, à chaque fois que les forces du mal s'éloignent sous l'effet du tam-tam, les forces de l'ordre se pointent.

# Jamais sans ma bière

La première fois que j'ai vu les petites cabanes installées sur la glace pour la pêche blanche je pensais que j'avais découvert un village de nains albinos. En effet, je n'aurais jamais pu imaginer que des gens pouvaient se les geler sur la banquise pour capturer de petits éperlans, alors qu'ils pouvaient tout simplement acheter une darne de saumon ou un filet de morue à l'épicerie. C'est quand je suis allé pêcher dans la baie de Gaspé avec un ami que j'ai tout compris. Lorsqu'on est arrivés dans la cabane, on avait une caisse de douze bières chacun.

— Pourquoi devons-nous emporter chacun une caisse de douze bières ? lui demandai-je.

— Parce qu'on n'est pas très bien assis sur un *six pack*.

Alors c'était ça, la technique ! Comme la cabane était très étroite, on ne pouvait pas y installer une chaise et une caisse de bière en même temps. Pour taquiner le petit poisson, il fallait donc utiliser les caisses de bière comme banc. Plus le temps avançait, plus on vidait les bouteilles de bière et moins on se préoccupait des poissons qui faisaient la fête sur nos lignes. On m'a même raconté qu'un homme s'était noyé après avoir avalé une quantité astronomique de bière. Cet homme, qui pêchait avec sa femme, était devenu trop volubile et désagréable parce qu'il ne lui restait plus de bière. Il paraît que sa femme, qui ne pouvait plus supporter de l'entendre chialer, avait trouvé une ingénieuse façon de se débarrasser de lui. Elle avait augmenté la taille du trou et avait fait croire à son mari qu'il y avait d'autres bières dans la cave... Personnellement, je ne crois pas que cette histoire soit vraie, mais je la garde en mémoire pour rendre hommage au Gaspésien qui me l'a racontée et qui m'a hébergé pendant presque un an alors que je faisais un stage au ministère de l'Agriculture à Gaspé. **Chaque oiseau chante les louanges du pays où il passe la saison chaude**, dit un proverbe africain.

La pêche blanche n'est pas le seul prétexte pour déguster de la bière. La première fois que je suis allé dans une cabane à sucre, la bière a tellement coulé que les érables étaient jaloux. Croyez-moi, ils ne pouvaient plus placer une goutte. Cependant, j'ai compris toute l'importance de la bière pour l'intégration d'un immigrant dans la société québécoise quand, deux semaines seulement après mon arrivée, je me fis chanter par les Rimouskois: «Il est des nô-ô-tres!» Après avoir avalé six bières dans une soirée, voilà que, sans m'avertir, des inconnus étaient debout pour me dire que je méritais d'avoir la nationalité québécoise.

La seule fois où j'ai eu une mauvaise expérience avec la bière, c'est quand un Madelinot m'a demandé si je voulais prendre une petite bière avec lui. J'ai dit oui, sans savoir qu'une petite bière, aux Îles-de-la-Madeleine, c'est une caisse de douze bières. Par contre, ce que les gens appellent ici une grosse bière ne m'impressionne pas vraiment. Au Malawi, où j'ai vécu pendant un an, la bouteille de bière locale, appelée le Chiboukou, est tellement grosse que ce que vous appelez ici la grosse bière serait comparable à une bouteille d'échantillon de parfum. Si, au Québec, l'abus de grosses bières endommage le cerveau, au Malawi, il cause des douleurs aux biceps tellement la bouteille est lourde. On ne peut pas soulever et boire une bouteille de Chiboukou avec une seule main. Pour ma part, ma consommation de bière au Québec a culminé un an après mon arrivée, c'est-à-dire quand j'ai arrêté de fumer la cigarette. Dans un bar, avec une bière dans la main, j'avais l'impression d'avoir un bras de trop. Alors, pour combler le manque, je prenais une autre bière. C'est comme ça qu'on abuse.

Je me rappelle le jour où mon grand-père m'a appelé pour me demander :

— Boucar, est-ce que tu t'es trouvé une petite Québécoise pour passer l'hiver ?

— Oui, grand-papa, je viens de me marier avec une femme blanche.

— D'où est-ce qu'elle vient ?

— Elle vient de Chambly. C'est une Blanche de Chambly. Elle a un seul défaut. C'est une péteuse de broue ! Mais elle accepte la polygamie, grand-père. On me l'a présentée en même temps que trois de ses amies, dont une blonde, une noire et une rousse. Aujourd'hui, je flirte avec toutes ses amies sans que cela la dérange. L'autre jour, j'ai attrapé la grippe, et le médecin m'a recommandé de rester au lit et de boire beaucoup de liquide. Elles furent toutes les quatre à mon chevet et prirent soin de moi, gentiment, du matin au soir.

Tu vois, j'ai gardé les traditions de polygamie de nos ancêtres.

— Je suis fier de toi, mon garçon! Tu es la preuve vivante **qu'un morceau de bois a beau séjourner longtemps dans une rivière, il ne se transformera jamais en crocodile.**

Comment pouvait-il savoir que je parlais simplement de bière? **On ne reconnaît pas l'âge du singe par la callosité de son derrière.**

# Oui, j'ai le nez gros, et puis ?

Il y a des gens qui restent profondément persuadé que tous les Noirs sont des consommateurs ou des trafiquants de drogue. Certains vont même jusqu'à penser que, pour se procurer de la drogue, il n'y a rien de mieux qu'un Noir dans un bar. Ce type de sollicitation me fait péter les plombs. Laissez-moi vous raconter une histoire que j'ai vécue.

Un jour, alors que je sirotais tranquillement une bière dans un bar de Rimouski au beau milieu d'une centaine d'autres Québécois et Québécoises, une fille s'approcha de moi spontanément, me salua et lança :

— Excuse-moi, est-ce que tu sais où je peux trouver de quoi fumer ?

— Pourquoi m'as-tu choisi parmi tout ce monde dans le bar ? lui demandai-je.

— Parce que j'arrive de Montréal avec des amis. Je ne connais personne ici, dans cette ville, et tu m'as l'air *trustable*.

— Tu es certaine que ça n'a rien à voir avec la couleur de ma peau ? Si tu cherchais une cantine pour manger une poutine, est-ce que, sérieusement, tu serais venue me voir ?

Elle s'excusa et partit. Je me dis alors que la prochaine fois qu'une telle situation m'arriverait, il faudrait que je réagisse. J'allai donc voir un de mes amis, étudiant en techniques policières, et lui fis part de mon problème. **Si tu te lies d'amitié avec un singe, ton bâton ne restera pas pris dans un arbre.** Il me dénicha alors une fausse carte de policier, une arme que je glissai soigneusement dans ma poche en attendant la bonne occasion.

Puis, un jour, après m'avoir repéré dans le bar, une touriste vint me voir pour me demander si je savais où elle pouvait trouver de quoi fumer. Je me levai, sortis ma fausse carte de policier avant de lui dire, dans mon langage sérieux de flic :

— On peut vraiment dire que ce n'est pas votre jour de chance, mademoiselle. Vous avez le droit de garder le silence. Je vous arrête.

— De quoi est-ce que vous m'accusez, *tabarnac* ?

— Je vous accuse de sollicitation.

— Oui, mais j'ai pas de drogue sur moé, eille !

— Vous avez peut-être raison, mais l'intention vaut l'action.

Je la fis marcher ainsi pendant deux minutes avant de lui dire qu'en vérité je n'étais pas un vrai policier, mais que j'étais fatigué de me faire demander de la drogue juste parce que j'étais noir. Une fois revenue de sa surprise, elle en remit en me traitant de tous les noms. Je lui refilai alors un numéro de téléphone. Elle sortit ensuite du bar, et un ami l'entendit dire : « Ils nous accusent de racisme, mais ils sont tous pareils. Ils finissent toujours par craquer et ils crachent le morceau. »

Ce que cette dame ne savait pas, c'est que je lui avais refilé le numéro de mon ami étudiant en techniques policières. Celui-ci l'accueillit chez lui avec une autre belle mise en scène, faux badge et fausse carte de policier.

Tant qu'on n'a pas atteint l'autre rive,
on ne doit jamais se moquer des crocodiles.

# Un Africain spécialiste du froid

Contrairement aux études universitaires de premier cycle, celles de deuxième et de troisième cycles sont davantage des épreuves de résistance que d'intelligence. Quand j'ai commencé mon doctorat en océanographie, j'ignorais encore que j'avais le mal de mer, même dans une piscine. C'est à ma première sortie en bateau que j'ai découvert que je connaissais plus les zébus de mon père que les moutons de la mer. En effet, j'ai été tellement malade que le bateau a dû rebrousser chemin pour me ramener à terre. Après ma mésaventure sur l'eau, quand j'ai annoncé à ma mère que mon doctorat avait mal commencé et que j'étais inquiet quant à mes capacités à le finir, elle m'a répondu : « Mon fils, tu ne peux pas abandonner et perdre cette chance unique d'acquérir des connaissances et de revenir en Afrique avec la grande science. **Quelle que soit la longueur d'un serpent, quand on lui voit la tête, il ne reste plus que la queue.** » Seulement, dans mon entourage, il y avait un étudiant qui complétait sa dixième année de doctorat, un Rwandais qui avait probablement vu passer une tête de serpent sans se douter qu'elle traînait une queue de plusieurs kilomètres. Cet homme a passé tellement de temps aux études doctorales qu'il a failli recevoir son diplôme en même temps que son premier chèque de pension de vieillesse. On disait parfois de lui qu'il avait obtenu sa permanence en tant qu'étudiant.

Heureusement, les choses ne se sont pas passées comme ça pour moi. Si mon doctorat a progressé plus vite que celui de mon ami rwandais, c'est parce que mon directeur de thèse n'a pas cessé de me harceler. **C'est en criant chaque jour aux moutons de rentrer dans l'enclos qu'ils finissent par le faire d'eux-mêmes.** Un an seulement après mon inscription, mon directeur m'a demandé de pondre le premier chapitre de ma thèse. Et quand je lui ai remis le travail, deux mois plus tard, il m'a annoncé qu'il y avait des coquilles dans ce que j'avais pondu. « À pondre sans coquilles, on finit par se farcir des omelettes sans casser des œufs », lui ai-je répondu. C'est là que je l'ai vu rire pour la première fois. Contrairement à la croyance populaire, les chercheurs aussi ont le sens de l'humour et des émotions à fleur de peau. Par exemple, un chercheur pleure quand il n'obtient pas sa subvention. Et il rit quand son voisin n'a pas obtenu la sienne.

Quelle que soit la longueur d'un doctorat, l'étape la plus importante reste la soutenance de thèse. En général, elle arrive quand on n'est plus capable de supporter son directeur. Pourtant, c'est le même bonhomme qui nous demandera pendant la période de questions : « Si tu avais à refaire cette thèse, qu'est-ce que tu changerais ? » Je vous assure que beaucoup d'étudiants sont tentés de répondre : « Je changerais avant tout de directeur. » Cependant, **tant qu'on n'a pas atteint l'autre rive, on ne doit jamais se moquer des crocodiles.** En plus, dans mon cas, ça faisait cinq ans que je travaillais sur mon projet et j'avais hâte de retourner en Afrique avec la tête remplie de grande science.

Quand je finis par retourner dans mon village, avec une spécialisation sur la résistance au froid chez l'éperlan arc-en-ciel, personne dans ma famille et dans ma région ne comprit pourquoi j'avais passé cinq ans à étudier au pays des Blancs. Et, pendant que je me sentais inutile et très seul dans mon monde d'éperlans et de protéines de résistance au froid, ma sœur continuait à me présenter aux gens de la région comme son frère qui est docteur. C'est à ce moment qu'une dame dont le bébé souffrait de la malaria est venue me voir pour me supplier de l'aider avec mes connaissances de docteur. Je lui ai répondu : « Madame, je suis docteur, mais je ne soigne que des poissons. Si votre garçon commence à développer des écailles ou des nageoires sur le corps, vous reviendrez me voir et je pourrai peut-être faire quelque chose. »

# L'école de conduite

Au Sénégal, il n'existe pas de Code de la route. Le seul code en vigueur est celui de la main. En effet, pour communiquer avec les autres automobilistes, le seul panneau indicateur connu de tous les conducteurs, c'est la main et les signaux qu'elle peut faire. C'est pour ça que j'ai eu tellement de difficulté avec les cours de conduite automobile du Québec. Un jour, un instructeur m'a dit : « Je ne sais pas si on va réussir à faire un conducteur de toi. » Mes collègues de travail, pour me taquiner, me demandaient les horaires de mes pratiques, afin d'avertir leur famille de rester à la maison.

Ma première difficulté, c'était mon instructeur. Après mon premier cours, il m'a annoncé :

– Tu as le même problème que tous les gens de ton pays. Tu ne balaies pas suffisamment la route. Tu fixes.

– Avez-vous enseigné la conduite automobile au Sénégal pour faire une telle généralisation ?

– Non, mais j'ai déjà enseigné à quelques Noirs de Rimouski qui avaient tous le même problème que toi.

Non seulement il pensait que tous les Noirs venaient de mon pays, mais en plus, il parlait sans arrêt : « De quelle couleur est la lumière devant nous ? As-tu vu la belle fille à droite ? Tu n'as pas fait ton angle mort. » Il me reprochait tellement de ne pas bien annoncer mes changements de voie qu'un jour j'ai décidé de me révolter. D'une voix très aiguë, juste pour lui montrer qu'on pouvait changer de «voix» sans même savoir conduire une voiture, je lui ai dit: «Ta gueule!» Ensuite, j'ai abandonné mes cours et décidé d'apprendre à conduire sans passer par les écoles de conduite.

Après m'être suffisamment préparé, j'ai appelé la SAAQ pour fixer un rendez-vous d'une heure pour mon examen pratique de conduite. Mon examen était prévu pour un certain jeudi de septembre, à 14 h 30. Je quittai l'université à 14 heures pour me rendre chez moi, où m'attendait mon amie Liza, qui devait m'accompagner à l'évaluation. Quand je sortis de l'université, mon vélo était introuvable : un voleur avait mis la main dessus. Il me fallut donc courir pour aller retrouver Liza. J'arrivai à la maison à 14 h 15. J'avais juste le temps de sauter dans la voiture avec mon accompagnatrice et de filer vers la SAAQ. Seulement, sous l'effet du stress, je coupai la priorité à quelqu'un dans un «Cédez le passage», sans remarquer qu'une voiture de police était postée juste à côté.

Sans perdre de temps, la police me prit en chasse; j'immobilisai mon véhicule au bord de la route. La policière vint me voir et me dit:

– Ce que tu viens de faire est vraiment dangereux. Ça va te coûter deux points sur ton permis.

– Je n'ai pas encore de permis de conduire, madame. Je m'en vais justement à mon examen pratique.

– Dans ce cas, tu devrais perdre le permis que tu n'as pas encore.

Elle saisit mon permis d'apprenti conducteur, tout comme celui de mon accompagnatrice, et elle disparut dans sa voiture pendant un bon bout de temps. Ensuite, elle revint me donner une amende de quatre-vingt dix dollars, un beau cadeau, mais elle eut quand même la gentillesse de ne pas m'enlever les points que je n'avais pas encore.

– Vous avez trois mois pour payer l'amende, lança-t-elle en me redonnant mes papiers et en me souhaitant bonne chance pour mon examen.

Ce jour-là, j'arrivai à mon examen de conduite avec dix minutes de retard. La première question que l'examinateur me posa, c'était pourquoi j'étais en retard. Évidemment, je ne pouvais pas lui dire que c'était la police qui m'avait immobilisé pour me donner une contravention. Au lieu de lui dire que j'avais frappé un orignal en plein centre-ville de Rimouski, j'optai pour quelque chose de plus crédible : problème personnel.

Pendant les vingt minutes qu'a duré l'examen, en raison du stress persistant, j'ai tellement commis de gaffes que j'aurais pu échouer deux fois. Aussi, à la fin, quand l'examinateur me demanda ce que je pensais de ma performance, je lui répondis que j'avais été pourri. Je venais donc d'échouer mon examen de conduite pour la deuxième fois. Avant de partir, j'ai juré au monsieur que j'allais le passer les yeux fermés à ma troisième tentative. Effectivement, la troisième fois, j'ai réussi. Cependant, deux jours après, j'ai embouti une Mazda Protegé dans un stationnement. Quand j'ai annoncé la nouvelle à mon ami Percy, il m'a répondu que ce n'était pas grave, que ça voulait juste dire que la Mazda n'était pas si protégée que ça.

Un jour, j'ai raconté cette histoire à un de mes amis de Montréal qui s'appelle Diallo. À ma grande surprise, il avait vécu une histoire semblable et tout aussi croustillante. Diallo m'a exposé les faits :

– À la fin d'une soirée bien arrosée dans un bar, je suis revenu avec ma voiture. Seulement, deux coins de rue plus loin, un policier m'a arrêté.

« As-tu bu de l'alcool ?

– Aucune goutte, mon capitaine.

– C'est qui, la fille qui est à côté de toi ?

– De quelle fille parlez-vous, mon capitaine ? »

Quand le policier a regardé comme il faut la fille qui m'avait suivi sans mon consentement, il m'a dit : « Avec la tête qu'elle a, n'essaie surtout pas de me faire croire que t'es à jeun. As-tu les assurances de l'auto ?

– Oui, monsieur le capitaine ! En plus, je suis assuré juste d'un bord : du côté du conducteur. »

Depuis ce jour, Diallo est certain d'une chose, m'a-t-il expliqué : « Oui, le Canada est un pays de tolérance, mais seulement pour ceux qui ne jouent pas à péter des *balounes*. »

Si l'argent et le pouvoir poussaient
au sommet des arbres, certains n'hésiteraient
pas à épouser un singe.

# La danse nuptiale des politiciens

Entre deux mandats, les politiciens oublient très souvent les préoccupations du peuple. Mais quand arrive une campagne électorale, ils ne lésinent pas sur les moyens pour faire valoir leur salade auprès des votants. Pendant les quelques semaines que dure la campagne, ils deviennent très compatissants, trouvent de l'argent qu'ils n'avaient pas, promettent des subventions, visitent des fermes, donnent des poignées de main à gauche et à droite dans les usines, les bingos et les résidences pour personnes âgées. Pourtant, **c'est en saison sèche qu'on doit se lier d'amitié avec un piroguier**. Ne s'intéresser aux électeurs qu'en période d'élections, c'est ce qu'on appelle, dans la sagesse africaine, **attendre le jour du marché pour engraisser sa poule** ou **essayer de tisser un bouclier pendant un combat**.

L'observation minutieuse du monde de la politique avec mes yeux de biologiste m'a permis de réaliser que la campagne électorale est au politicien ce que la danse nuptiale est aux oiseaux. Pour s'attirer la faveur des femelles, certains mâles du peuple à plumes ont plus d'un tour dans leur sac. En plus de fabriquer des nids quatre étoiles, ils exécutent des chorégraphies, donnent des cadeaux et fredonnent des chansons de plus en plus mélodieuses. Et tout comme pour les politiciens en campagne électorale, les stratégies de séduction des mâles aviaires misent beaucoup sur l'image. Ici, comme en politique, le succès est indissociable du choix des couleurs. Le bleu, le rouge et le vert sont aussi présents sur les rémiges que sur les affiches publicitaires des grands partis politiques. Fiers des couleurs vives de leur parure, les mâles se déploient dans toute leur splendeur. Il ne leur reste plus qu'à affronter la concurrence. Et pour mettre toutes les chances de leur côté, certains mâles n'hésiteront pas à attaquer un rival et à lui arracher ses couleurs, donc à lui faire perdre son charme. Ils profiteront d'un moment d'inattention de l'adversaire pour détruire son nid. Par contre, même si tous les coups sont permis entre mâles pendant les parades nuptiales, il y a un fait qui demeure constant d'une année à l'autre : après l'accouplement, chez la plupart des espèces, les mâles retrouvent leurs couleurs ternes et laissent derrière eux les femelles, qui doivent alors pondre et s'occuper des œufs et des oisillons. Elles ne seront convoitées de nouveau qu'à la saison de reproduction suivante.

Pour les politiciens en campagne électorale, le modèle de comportement est presque le même. Des attaques personnelles envers la partie adverse aux idées et promesses ultra-démagogiques, tous les moyens semblent légitimes pour accéder ou rester au pouvoir. Pour mieux tromper le peuple, certains vont même jusqu'à faire faire de petites retouches informatiques à leur photo histoire de paraître plus jeunes et plus sympathiques sur les pancartes publicitaires. Il est également rentable de se montrer avec sa famille et son chien dans un parc ou tout autre endroit public fréquenté par le vrai peuple.

Ce manège me tape tellement sur les nerfs que j'ai souvent pensé rédiger un code de conduite pour nos politiciens avant chaque début de campagne. J'aurais envie de leur dire : « Il est temps que vous arrêtiez de nous prendre pour des imbéciles. On connaît votre chanson parce qu'elle est récurrente. Tout ce qui vous intéresse, c'est le pouvoir. Si le pouvoir poussait au sommet des arbres, certains d'entre vous n'hésiteraient pas une minute à épouser des singes. Nous voulons une campagne électorale propre. Le débat ne doit porter que sur les vraies choses, et non sur les intérêts personnels. Et pour ce qui est des promesses démagogiques, chaque fois que vous voudrez en faire une, rappelez-vous qu'**il faut vraiment faire confiance à son anus avant d'avaler une noix de coco.** »

Quand j'étais étudiant, un candidat à la députation de Rimouski frappa à ma porte alors que se tenait une grande fête chez moi. Mon appartement qui donnait sur la rue était rempli d'étudiants, et le candidat libéral qui faisait sa ronde dans le quartier ne pouvait manquer cette occasion rêvée d'accroître son troupeau d'électeurs. Après l'avoir accueilli chaleureusement, nous lui avons proposé de partager avec nous du *soupoukandja*, une sorte de sauce africaine que seulement un Québécois sur trois réussit à avaler, et pas pour longtemps. Le politicien et ses acolytes se forcèrent à engloutir la sauce pour ménager la susceptibilité des trente électeurs que nous représentions. **Qui veut du miel doit affronter les abeilles**, dit un proverbe sérère. Après avoir survécu à cette torture gastronomique, les politiciens commencèrent à nous parler de leurs préoccupations pour la ville de Rimouski, de leur programme pour les jeunes et de tout le bataclan qu'ils avaient soigneusement concocté pour arriver à leurs fins. Seulement, ce que monsieur le candidat libéral ne savait pas, c'est qu'il était dans une soirée d'étudiants étrangers. Et que parmi tout ce beau monde, dont beaucoup de Français, seul mon ami québécois Pierre avait le droit de vote. Comme vous pouvez le deviner, quand il apprit la mauvaise nouvelle, le candidat libéral ne resta pas une minute de plus.

Depuis ce jour, à chaque campagne électorale, j'éprouve également l'envie de rédiger un code de conduite pour les électeurs. J'aurais envie de leur dire : « Si le candidat vient vous manger la laine sur le dos dans votre ferme, c'est qu'il vous considère comme un mouton qu'il veut intégrer à son troupeau. Alors, profitez de sa visite de courtoisie quinquennale pour lui demander des services. Demandez-lui par exemple de vous aider à traire les vaches. Et si c'est la première fois qu'il entre dans une ferme, comme c'est souvent le cas, arrangez-vous pour lui faire traire un taureau et pour le faire marcher sur une énorme bouse de vache. Ensuite, faites-le entrer dans la maison et asseoir sur le banc du quêteux, avant de lui dire : « Quand viendra le jour du vote, je mettrai une croix sur vous. »

**Si tu ne peux l'obtenir en lichant,
essaye en criant.**

# La démocratie à l'africaine

Un jour, lors d'une réunion de l'Association des diplômés de l'Université du Québec à Rimouski, il nous aurait fallu quinze personnes pour avoir le quorum, mais nous n'étions que quatorze. Ce jour-là, comme il nous manquait une personne pour pouvoir tenir la réunion et que nous ne pouvions inviter l'agent de sécurité pour faire semblant, comme le ferait n'importe quel démocrate des républiques bananières, le président leva l'assemblée. Il proposa ensuite de reporter la réunion à la semaine suivante. Simplement à cause d'une personne manquante, des membres avaient parcouru cent kilomètres pour rien. C'est à ce moment que j'ai réalisé à quel point ceux qui veulent introduire la démocratie en Afrique ont du pain sur la planche.

Si une situation comme celle-là s'était produite dans la plupart des villages d'Afrique, le chef aurait d'abord fusillé tout le monde du regard en guise de frappe préventive. Ensuite, il aurait dit avec beaucoup de conviction : « Bon, je pense qu'on est quinze dans la salle. À moins que quelqu'un veuille compter. » Et un citoyen aurait rétorqué, avec l'approbation des autres : « Ta parole est incontestable, chef ! De toute façon, personne ici ne sait compter. » Et si par hasard quelqu'un avait décidé de jouer au vrai démocrate, le chef l'aurait attaqué, lui et sa famille, avec des armes de destruction massive.

Même si tout le monde parle d'exporter la vraie démocratie en Afrique, je peux vous assurer que ce ne sera pas facile. La démocratie coûte cher, et de l'argent, je ne connais aucun habitant de mon village qui soit disposé à en investir dans autre chose que la bouffe ou un abri pour se protéger des pluies tropicales et du soleil de plomb qui laboure la savane à longueur d'année. Quand les Occidentaux ont menacé de couper l'aumône en brandissant l'absence de démocratie comme principale cause, dans toute l'Afrique occidentale, la mode était alors aux conférences nationales. Des espèces de réunions interminables pendant lesquelles tous les chefs devaient prendre la parole et dire ce qu'il fallait faire. À l'époque, ils s'étaient tellement gavés de viande de chèvre que la population de caprins africains avait connu une chute dramatique. À la fin de ces fameuses conférences, tous les pays se disaient démocratiques. Avant les conférences, la constitution, dans la plupart des pays, se résumait à deux mots : « Débrouillez-vous. » Après les conférences, le « Débrouillez-vous » a été remplacé par : « Le chef a toujours raison. » Cependant, le plus grand changement consti-tutionnel vient de la clause sur les plaintes et la critique du chef. Cette clause peut se résumer ainsi : « Selon la démocratie occidentale, vous avez le droit de vous plaindre du dirigeant élu à l'unanimité. Vous avez aussi le droit de le cri-tiquer. Mais rappelez-vous qu'ici, si vous avez envie de critiquer le régime totalitaire démocra-tique du dictateur, vous avez intérêt à chuchoter.

Cependant, si vous devez absolument critiquer à haute voix le régime que le dictateur a hérité de son père selon un scrutin supervisé par l'Occident, assurez-vous d'être hors du pays. Sinon, le président, qui est aussi le père de la nation, va vous attaquer, vous, votre famille, votre ethnie et tous les gens que vous connaissez. »

Mobutu, l'ancien président du Zaïre, résumait ainsi la situation : « Quand je me prépare à aller en voyage, je demande à mon directeur de cabinet dix millions. Le directeur de cabinet demande vingt millions au ministre des Finances. Le ministre des Finances demande trente millions au directeur de la banque. Le directeur sort quarante millions de la banque et, finalement, on me remet dix millions. C'est ça, la gestion des finances à l'africaine. »

Beaucoup manque au pauvre
et tout à l'avare.

# Pour un présent parfait
# ou un futur simple?

Si j'ai fait des études supérieures, ce n'est pas parce que je voulais devenir chercheur, mais plutôt parce que je voulais me donner toutes les chances de devenir autre chose que cultivateur d'arachides. En effet, je viens d'une famille d'éleveurs de zébus et de cultivateurs d'arachides. Et même si ce type d'agriculture peut paraître exotique pour un Tremblay du Québec, pratiquer ce métier, au fond, c'est «travailler pour des *peanuts*». Les Diouf sont au Sénégal ce que les Tremblay sont au Québec. Mon grand-père disait même très souvent: «Si tu veux vraiment faire mal à un Diouf dans ce pays, lance une pierre sur n'importe quel attroupement et tu es certain d'en atteindre un.»

Des leçons de sagesse de grand-papa Diouf, je voudrais partager aussi avec vous celle concernant sa conception du temps. Mon grand-père disait que, dans les républiques bananières d'Afrique, les gens chantaient et dansaient et ne pensaient à travailler que s'il ne leur restait plus rien à manger. Les Blancs eux, travaillaient et se creusaient la tête et ne pensaient à s'amuser que quand ils n'avaient plus rien à faire. «Même si tous les Blancs ont une montre, ils n'ont pas souvent le temps», disait grand-papa.

Aujourd'hui, après bien des années passées au Québec, je comprends un peu mieux toute la portée et la véracité des propos de mon grand-père. Il est vrai que, dans certains pays d'Afrique, si tu veux que les gens viennent à une réunion le vendredi, il faut les convoquer pour le jeudi. Et je ne parle pas des salutations qui prennent la moitié de la journée! Lors de mon dernier voyage au Sénégal, j'ai évalué qu'un individu de l'ethnie sérère passait un tiers de sa vie à saluer ou à se faire saluer. Imaginez maintenant quelqu'un comme moi, qui ai grandi dans cet environnement où le temps est ignoré et relégué aux simples variations saisonnières, et qui arrive dans un pays où les minutes se négocient. Les premières choses qui m'ont marqué au Québec, ce sont l'omniprésence du « Je n'ai pas le temps! » et les fameux quémandeurs de temps: «As-tu une minute?» Quand on m'a posé cette question pour la première fois, les cheveux m'ont défrisé sur la tête. Ensuite, je me suis rappelé cette célèbre pensée capitaliste qui veut que le temps soit de l'argent. J'ai alors commencé à me demander combien il fallait que je facture pour une minute à écouter, ou juste pour me faire saluer, ou pour me faire poser une question. J'ai découvert quelques jours plus tard que, bien avant moi, des gens avaient mis cette idée en pratique. Pour vous en convaincre, pensez à tous ces messieurs et dames qui payent cinquante dollars l'heure pour se parler à eux-mêmes devant un psychologue.

Ignoré dans les pays du Sud, le temps a pris sa revanche dans ceux du Nord. Au Québec, il est presque vénéré, comme en témoignent les nombreuses expressions qui lui sont consacrées:

le beau temps, un temps de chien, un temps de cul, un temps pour chaque chose, etc. Au Québec, on peut demander une minute, voler quelques secondes, perdre son temps ou travailler à temps perdu. Mais attention! Il y a des temps qui sont plus prisés que d'autres. Le plus glorieux des temps québécois est certainement le temps estival. On se l'arrache sans pitié et pourtant, à la question: «Qu'as-tu fait de ton été?», la plupart des gens répondent: «Je n'ai pas eu le temps d'en profiter.» C'est comme si chacun avait sa petite part de la précieuse saison et qu'il avait le choix de l'utiliser, de la vendre à son voisin ou de la mettre au congélateur en attendant d'avoir le temps de s'en dorer le dos. Je me demande même si les Indiens n'ont pas tout simplement décidé de ne plus partager leur été avec nous. En effet, je ne sais pas si vous êtes comme moi, mais, depuis quelques années, je ne sens plus vraiment passer l'été des Indiens. Il m'arrive aussi de me demander si les Québécois n'ont pas inventé les sacres pour se mettre quelques minutes supplémentaires en poche. En effet, là où un Africain passe une minute à dire: «Les enfants, si vous n'entrez pas tout de suite dans la maison, papa et maman vont se fâcher!», le Québécois dit: «Les enfants, dans la maison, *crisse*!» Ce qui permet effectivement de sauver du temps.

Même un Sérère qui a grandi au Sénégal n'est pas immunisé contre les assauts du stress et de son complice: le temps. Après cinq hivers passés à Rimouski, j'avais déjà mon permis de chasse au temps. Heureusement, mon grand-père me donna l'occasion d'y voir plus clair, il y a cinq ans, au cours d'une de mes visites en pays sérère. À mon arrivée, il me demanda pourquoi j'avais attendu si longtemps avant de revenir voir la famille. Je lui expliquai alors que je n'avais pas eu le temps, que je devais travailler pour acheter une maison, contribuer à mon REER, et préparer mon avenir et celui de mes enfants. Comme il ne comprenait pas ce que j'essayais de lui dire, je décidai de lui raconter l'histoire de la cigale et de la fourmi.

Il écouta la fable jusqu'à la fin et me dit : « Un jour, dans un village du Sine qui s'appelle Pokhame, arriva un étranger nommé Babou qui demanda au chef s'il pouvait s'installer. On lui offrit une parcelle de terrain dans le village pour construire sa maison et défricher une terre. Le jour où Babou commença à bâtir sa maison, c'était la danse des semences et la fête battait son plein dans le village. On envoya quelqu'un chercher Babou, mais celui-ci déclina l'invitation. "Je n'ai pas le temps de fêter avant d'avoir terminé de construire ma maison et de défricher ma terre", répondit-il au messager. Une fois qu'il eut construit sa maison et débrous-saillé son terrain, la pluie s'abattit sur la savane. On envoya de nouveau quelqu'un inviter Babou pour la danse de la pluie. Il déclina de nouveau l'invitation, prétextant qu'il lui fallait labourer ses champs. Au temps des labours succéda celui des semences, puis des durs travaux de l'hivernage. Après trois mois, les épis de mil et de sorgho étaient pleins de graines. Il fallut alors organiser la danse des moissons pour remercier la nature de sa générosité. On la célébra sans Babou qui ne voulait pas prendre le risque de laisser sa récolte dans les champs. Quand Babou finit de rentrer son grain, sa maison avait déjà subi les assauts des pluies et il fallut la reconstruire. Il manqua de nouveau la fête des semences. Et comme les années se suivent et se ressemblent dans ces villages de savane, il manqua aussi celles de la pluie et des moissons. Dix ans plus tard, après sa mort, personne dans le village ne se souvenait de l'avoir vu danser. Par contre, il avait laissé derrière lui le plus grand troupeau et la plus grosse réserve de grain du village. Mais, sur sa tombe, les villageois avaient inscrit cette épitaphe : "Ici repose un pauvre étranger" ! »

À la fin de son histoire, mon grand-père ajouta : « S'il y a un temps qui mérite qu'on lui porte une attention spéciale, c'est bien le temps présent. La richesse ne se mesure pas seulement en quantité d'argent, de maisons ou de voitures. La véritable richesse d'un humain se trouve dans sa capacité à tisser des liens sains avec sa famille et sa communauté et à les entretenir toute sa vie. »

Ces vacances au Sénégal m'ont fait réaliser que, même si le développement économique d'un pays nécessitait des sacrifices, je ne tenais plus à faire partie des sacrifiés. J'ai décidé de reprendre mon temps. « **Toujours courir n'empêche pas de mourir, tout comme aller au ralenti n'empêche pas de vivre sa vie** », disait mon grand-père.

# INDEX DES PROVERBES

## A

– L'arbre émondé sait ce que lui veut la hache. (p. 156)
– Un arbre fruitier ne tombe pas à la volonté d'une chèvre affamée qui convoite ses fruits. (p. 102)
– Un arbre qui donnera de bons fruits se reconnaît par la qualité de la semence.
– Aucun arbre ne peut donner de bons fruits avant d'avoir fleuri au préalable. (p. 46)

## B

– Un baobab a beau être énorme, il provient d'une minuscule graine. (p. 36)
– Beaucoup manque au pauvre et tout à l'avare. (p. 202)
– Le bélier qui va foncer commence toujours par reculer. (p. 81)
– La bûche dans le jardin ne devrait pas rire de celle qui est dans le feu. (p. 148)

## C

– Le caca n'a pas d'épines, mais quand on marche dessus, on clopine. (p. 172)
– Celui qui a déjà chevauché tout nu un porc-épic échangerait volontiers sa maison contre une selle. (p.140; 145)
– Le chemin des *je-m'en-fous* mène souvent au village des *si-j'avais-su.*
– Celui qui a déjà été mordu par un serpent se méfie même de ses lacets. (p. 30 ; 155 ; 156)
– À un chien dont on a coupé la queue, on ne demande pas de manifester sa joie. (p. 132)
– Celui qui a la diarrhée n'a pas peur de l'obscurité. (p. 143)
– Celui qui est monté sur un éléphant n'est pas battu par la rosée. (p. 92)

– Celui qui passe la nuit dans la mare se réveille cousin des crocodiles. (p. 162)

– Celui qui voyage dans sa tête visite les pays de son choix et va à la vitesse qui lui plaît. (p. 65)

– Ce sont les arbres qui ont plus de branches que de racines qui tombent plus facilement sous l'effet du vent. (p. 44)

– C'est en criant chaque jour aux moutons de rentrer dans l'enclos qu'ils finissent par le faire d'eux-mêmes. (p. 186)

– C'est en saison sèche qu'on doit se lier d'amitié avec un piroguier. (p. 193)

– Chaque oiseau chante les louanges du pays où il passe la saison chaude. (p. 178)

– Comme il est dans l'eau, on ne sait pas que le poisson pleure. (p. 64)

– La confiance s'est envolée depuis que l'eau a cuit le poisson. (p. 156)

– Un coq ne sépare pas une bagarre de couteaux. (p. 102)

## D

– À la danse du cul, le lièvre et l'éléphant ne peuvent pas être partenaires. (p. 102)

## E

– L'épine est plus facile à enlever de la chair d'autrui. (p. 172)

– Essayer de tisser un bouclier pendant un combat. (p. 193)

– Pour éteindre un feu, on n'a pas besoin d'eau potable. (p. 86)

## F

– Les feuilles de bananier n'ont pas besoin de tam-tams pour danser. (p. 38)

## G

– Une grenouille qui a été ébouillantée prend le temps de mouiller sa patte avant de sauter dans une flaque d'eau. (p. 157)

– Le grillon tient dans une main. Cela ne l'empêche pas de se faire entendre dans toute la prairie. (p. 38)

## H

– Les hautes herbes peuvent avaler les pintades, mais ne peuvent pas avaler les cris des pintades. (p. 39)
– L'homme revit à travers les enfants qu'il a éduqués, les arbres qu'il a plantés et les paroles qu'il a prononcées. Et quand la parole se perd, c'est grâce au proverbe qu'on la retrouve.

## I

– Il arrive que le sage soit conseillé par un fou.
– Il est préférable d'être la tête d'une souris que la queue d'un lion. (p. 38)
– Il faut façonner l'argile pendant qu'elle est molle. (p. 54)
– Il faut faire confiance à son anus avant d'avaler une noix de coco. (p. 101 ; 195)
– Il ne faut pas attendre le jour du marché pour engraisser sa poule. (p. 193)
– L'initiation commence à la circoncision et finit au cimetière. (p. 45)

## L

– La lame d'un couteau a beau être tranchante, elle ne peut lacérer le manche qui l'accompagne. (p. 86)
– Une langue qui fourche peut parfois faire plus mal qu'un pied qui trébuche. (p. 46 ; 120)
– Un lion a beau être édenté, sa tanière ne sera jamais un lieu de repos pour une gazelle. (p. 81 ; 101)
– Un lion qui chasse pour tuer ne rugit pas. (p. 134)
– Lorsque ramasser devient facile, se baisser devient difficile. (p. 38)

## M

– La mauvaise parole est comme une lance plantée dans le tronc d'un baobab : on a beau essayer de la retirer avec précaution, elle laisse une plaie ouverte, souvent difficile à guérir. (p. 47)
– Même si une graine réussit à germer sous un baobab, elle mourra arbrisseau. (p. 38)

– Le mensonge a beau faire une semaine de route et avoir un mois d'avance, la vérité finit toujours par le rattraper en une journée. (p. 39)

– Le mensonge donne des fleurs, mais pas des fruits. (p. 57)

– Un morceau de bois resté longtemps dans une rivière ne se transformera pas en crocodile. (p. 39 ; 180)

– La mort frappe les hommes comme le vent secoue les arbres. (p. 85)

– Le moustique n'a jamais épargné un homme de ses piqûres parce qu'il est maigre. (p. 50)

## N

– Ne te laisse pas lécher par quelque chose qui pourrait t'avaler. (p. 105)

## O

– L'œil ne porte pas de charge, mais il sait reconnaître ce que la tête est capable de supporter. (p. 37 ; 101)

– L'oiseau aussi transpire, c'est seulement son plumage qui cache sa sueur. (p. 101)

– L'oiseau se piège par les pattes et l'homme, par la langue. (p. 47)

– On est maître de sa parole avant de la prononcer, mais comme on peut en devenir l'esclave une fois qu'elle a quitté notre bouche, il est parfois plus sage d'écouter que de parler. (p. 47)

– On lie les vaches par les cornes et les humains par la parole. (p. 46)

– On ne confie pas à une hyène le cadavre d'une antilope. (p. 47)

– On n'expose pas ses poules sur un rocher à la vue d'un épervier.

– On ne marche pas deux fois de suite sur les testicules d'un aveugle. (p. 51)

– On ne peut courir et se gratter les fesses en même temps. (p. 90)

– On ne peut mener un troupeau de souris sans se faire harceler par les chats. (p. 66)

– On ne reconnaît pas l'âge du singe par la callosité de son derrière. (p. 180)

– Où a-t-on vu l'hyène déserter les environs des cimetières ou le vautour, l'arrière des cases ? (p. 57)

# P

– La parole est comme une balle de fusil : une fois sortie de la bouche, on ne peut plus rien faire. (p. 47)

– Partir le matin de bonne heure se décide la veille au soir. (p. 46)

– Le pélican a une coiffure sur la tête, puisqu'il salue chaque matin le dindon. (p. 162)

– Pendant que le berger pleure son défunt âne ; dans le ciel, les vautours dansent. (p. 84)

– Pendant que le volé prend toutes les directions, le voleur en prend une seule. (p. 67)

– Le piège du pauvre finit toujours par attraper son chien. (p. 83)

– La plaie du lépreux ne fait pas mal qu'à celui qui la regarde. (p. 72)

# Q

– Quand l'appât vaut plus cher que le poisson, mieux vaut arrêter de pêcher. (p. 68)

– Quand la malchance t'habite, même une banane mûre peut te casser une dent. (p. 61)

– Quand la malchance t'habite, même une mouche peut tuer ta vache d'un coup de patte. (p. 122)

– Quand la mère vache rumine, ses petits observent sa bouche. (p. 162)

– Quand le chat et la souris vivent en harmonie, ce sont les provisions qui en souffrent. (p. 125)

– Quand on donne un singe, on ne doit pas retenir la queue. (p. 115)

– Quand vient le temps de parler, un petit mensonge qui unit une famille est beaucoup plus recommandable qu'une vérité qui la divise. (p. 15)

– Quelle que soit la longueur d'un serpent, quand on lui voit la tête, il ne reste plus que la queue. (p. 185)

– Quiconque sera plus fort que toi de la langue t'achètera pour un chien s'il veut. (p. 114)

– Qui écoute tous les donneurs d'avis suit le vent à la trace. (p. 154)

– Qui veut du miel doit affronter les abeilles. (p. 195)

# R

– Le rat s'impose à la famille comme le sourcil s'impose à l'œil. (p. 109)
– La ruse finit toujours par manger son maître. (p. 76)

# S

– La sagesse est comme un baobab : une seule personne ne peut entourer tout son tronc. (p. 46)
– Se tromper de chemin c'est aussi apprendre à trouver son chemin. (p. 52)
– Si la barbe était signe de sagesse, le bouc serait le roi de la planète. (p. 102)
– Si la maison ne peut t'éduquer, la jungle finit toujours par s'en charger. (p. 82)
– Si l'arbre savait ce que lui réserve la hache, il ne lui aurait pas fourni le manche. (p. 163)
– Si l'argent et le pouvoir poussaient au sommet des arbres, certains n'hésiteraient pas à épouser un singe. (p. 192)
– Si la rivière a un tracé sinueux, c'est parce qu'elle n'a pas d'ancêtres à suivre. (p. 32 ; 44)
– Si le sourd n'entend pas le tonnerre, il verra la pluie. (p. 63)
– Si les civilisations meurent comme les hommes, le présent ne devrait-il pas sortir du passé et l'avenir du présent ? (p. 24 ; 43)
– Si on sait marcher, on sait aussi danser. (p. 175)
– Si quelqu'un t'a mordu, il t'a rappelé que tu as des dents. (p. 162)
– Si l'on chouchoute un vieillard depuis l'aube et que, le soir, on le gronde, son seul souvenir sera peut-être d'avoir été torturé. (p. 15 ; 86)
– Si tu cognes ta tête contre une cruche et que ça sonne creux, n'en déduis pas forcément que c'est la cruche qui est vide. (p. 162)
– Si tu entends l'écureuil dire qu'il y a un poisson borgne dans l'eau, c'est le crocodile qui le lui a raconté. (p. 162)
– Si tu ne peux l'obtenir en lichant, essaye en criant. (p. 198)
– Si tu te lies d'amitié avec un singe, ton bâton ne restera pas pris dans un arbre. (p. 182)

– Si tu vois un singe en bas d'un arbre, de deux choses l'une : il vient juste de descendre, ou alors, il se prépare à monter. (p. 101)

– Le soleil n'a jamais arrêté de briller au-dessus d'un village parce qu'il est petit. (p. 28)

## T

– Tant qu'on n'a pas atteint l'autre rive, on ne doit jamais se moquer des crocodiles. (p. 186)

– Tant qu'on n'a pas rencontré un homme sans jambes, on peut se plaindre de la qualité de ses souliers. (p. 97)

– Le temps est l'ennemi principal du menteur.

– Toujours courir n'empêche pas de mourir, tout comme aller au ralenti n'empêche pas de vivre sa vie. (p. 207)

– Tout ce que colère rapporte à l'homme, c'est de le rapprocher du singe. (p. 124)

– Tout le monde trouve l'idiot sympathique, mais personne ne le veut comme fils. (p. 55)

– Les traces de coups disparaissent avec le temps, mais celles des injures restent toujours. (p. 47)

## V

– La vérité est comme du piment : elle pique les yeux, mais ne les crève pas. (p. 39)

– Un vieillard assis voit plus loin qu'un jeune homme debout. (p. 80)

– Un vieillard qui meurt, c'est comme une bibliothèque qui s'enflamme. (p. 24 ; 46)

– Tout vieux héros finit par décortiquer des arachides pour sa femme. (p. 81)

– En visite chez autrui, ouvre les yeux avant la bouche. (p. 144)

La production du titre *Sous l'arbre à palabres, mon grand-père disait...* sur 3,099 lb de papier Silva Enviro plutôt que sur du papier vierge aide l'environnement des façons suivantes :

Arbres sauvés : 26
Évite la production de déchets solides de 759 kg
Réduit la quantité d'eau utilisée de 71 822 L
Réduit les matières en suspension dans l'eau de 4,8 kg
Réduit les émissions atmosphériques de 1,667 kg
Réduit la consommation de gaz naturel de 108 m$^3$

Achevé d'imprimer
sur les presses de
Imprimerie H.L.N.
*Imprimé au Canada - Printed in Canada*